Ao farol

VIRGINIA WOOLF

Ao farol

TRADUÇÃO
ROGERIO GALINDO
LUISA GEISLER

SÃO PAULO, 2023

Ao farol
To the Lighthouse by Virginia Woolf
Copyright da tradução © 2023 by Rogerio Waldrigues Galindo/Luisa Geisler
Copyright © 2023 by Novo Século Editora Ltda.

EDITOR: Luiz Vasconcelos
ASSISTENTE EDITORIAL: Fernanda Felix
Lucas Luan Durães
TRADUÇÃO: Rogerio Galindo • Luisa Geisler
REVISÃO: Flavia Araujo • Elisabete Franczak Branco
PROJETO GRÁFICO E DIAGRAMAÇÃO: João Paulo Putini
ILUSTRAÇÃO DE CAPA: Bruno Novelli

Texto de acordo com as normas do Novo Acordo Ortográfico da Língua Portuguesa (1990), em vigor desde 1º de janeiro de 2009.

Dados Internacionais de Catalogação na Publicação (CIP)
(Câmara Brasileira do Livro, SP, Brasil)

Woolf, Virginia
  Ao farol / Virginia Woolf ; tradução de Rogerio Galindo, Luisa Geisler -- Barueri, SP : Novo Século Editora, 2023.
  240 p.

ISBN 978-65-5561-510-4
Título original: To the Lighthouse

1. Ficção inglesa I. Título II. Galindo, Rogerio III. Geisler, Luisa

23-0563   CDD 823

Índice para catálogo sistemático:
1. Ficção: Literatura inglesa 823

Alameda Araguaia, 2190 – Bloco A – 11º andar – Conjunto 1111
CEP 06455-000 – Alphaville Industrial, Barueri – SP – Brasil
Tel.: (11) 3699-7107 | Fax: (11) 3699-7323
www.gruponovoseculo.com.br | atendimento@gruponovoseculo.com.br

PARTE I
A JANELA

1

—Sim, claro, se o tempo estiver bom amanhã – disse a sra. Ramsay. – Mas você vai ter que acordar com as galinhas.

Para o filho, essas palavras transmitiam uma alegria extraordinária, como se estivesse resolvido, a expedição prestes a acontecer, e as maravilhas que ele esperava, parecia que havia tantos e tantos anos, estivessem, depois da escuridão de uma noite e de um dia velejando, ao alcance da mão. Pois ele pertencia, já aos seis anos de idade, ao grande clã que não consegue separar um sentimento do outro, e que sempre deixa as perspectivas futuras, com suas alegrias e tristezas, nublarem aquilo que está de fato diante dos olhos, uma vez que, para essas pessoas, mesmo na mais tenra infância, qualquer giro na roda das sensações tem o poder de cristalizar e transfixar o momento em que sua sombra ou sua luminosidade se apoiam. James Ramsay, sentado no chão recortando figuras do catálogo ilustrado das lojas do Exército e da Marinha, contornou a imagem de uma geladeira, enquanto sua mãe falava, de um êxtase celestial. Estava repleto de alegria. O carrinho de mão, o cortador de grama, o som dos álamos, as folhas ficando esbranquiçadas antes da chuva, as gralhas crocitando, vassouras batendo, vestidos farfalhando – tudo isso era tão colorido e distinto na sua cabeça a ponto de ele ter desde já seu código particular, sua linguagem secreta, embora ele parecesse a imagem da mais absoluta e intransigente severidade com sua testa alta e os ferozes olhos azuis, impecavelmente sincero e puro, franzindo ligeiramente a testa diante da fragilidade humana, de modo que sua mãe, vendo-o guiar a tesoura ordenadamente em torno da geladeira, imaginou-o todo de vermelho e arminho num tribunal ou assumindo um cargo sério e importante no governo.

– Mas – disse o pai, parando em frente à janela da sala de estar –, o tempo não vai estar bom.

Houvesse um machado por perto, ou um atiçador, ou qualquer arma capaz de abrir um buraco no peito do pai e matá-lo, ali mesmo naquele momento, James teria pegado. Tais eram os extremos de emoção que o sr. Ramsay despertava no filho com sua mera presença; parado, como agora, magro como uma faca, estreito como sua lâmina, sorrindo sarcasticamente, não só com o prazer de desiludir o filho e ridicularizar a mulher, que em todos os aspectos era dez mil vezes superior a ele (James achava), mas também com uma secreta presunção sobre a precisão de seu julgamento. O que ele dizia era verdade. Era sempre verdade. Ele era incapaz de dizer algo que não fosse a verdade; jamais adulterava um fato; jamais alterava uma palavra desagradável para agradar ou ser conveniente a um mortal, muito menos aos próprios filhos que, saídos de suas entranhas, deviam estar conscientes desde a infância de que a vida é difícil; de que os fatos não são negociáveis; e de que a passagem para a terra fabulosa onde nossas mais belas esperanças se extinguem, nossas frágeis embarcações naufragam na escuridão (neste ponto o sr. Ramsay endireitava a coluna e apertava os pequenos olhos azuis rumo ao horizonte), exige, acima de tudo, coragem, verdade e capacidade de resistência.

– Mas pode ser que esteja bom, eu acredito nisso – disse a sra. Ramsay, retorcendo levemente a meia marrom-avermelhada que estava tricotando, impaciente. Se ela terminasse esta noite, se eles acabassem indo afinal ao farol, a meia seria dada ao guardião do farol, para seu filho pequeno, acometido por uma tuberculose óssea, junto com uma pilha de revistas e um pouco de tabaco, na verdade com qualquer coisa que ela encontrasse por ali, que não quisesse, que estivesse só bagunçando a sala, para dar àquela pobre gente, que devia ficar mortalmente entediada de tanto permanecer sentada o dia todo sem nada para fazer que não fosse polir a lanterna, cortar o pavio e limpar com um rastelo aquele pedacinho de jardim, alguma coisa para eles se divertirem. Pois o que você ia achar de ficar trancado um mês inteiro a cada vez e talvez mais, se houvesse tempestade, numa rocha do tamanho de uma quadra de tênis, perguntava ela. E sem receber cartas ou jornais, sem ver ninguém; se fosse casado, sem ver a esposa, sem saber como estavam os filhos – se estavam bem, se tinham caído e quebrado as pernas ou os braços; ver as mesmas ondas tediosas quebrarem semana após semana, e depois uma tempestade terrível se aproximando, e as janelas cobertas por respingos, e pássaros arremessados contra a lanterna, e o lugar inteiro sacudindo, e sem poder colocar o nariz para fora por medo de ser atirado ao mar? O que você ia achar disso?, perguntava ela, falando principalmente com as filhas. E então acrescentava, de um jeito bem diferente: é preciso levar tudo que ofereça algum conforto.

– Está soprando para o Oeste – disse o ateu Tansley, espalmando os dedos magros para que o vento soprasse entre eles, pois estava acompanhando o sr. Ramsay em sua caminhada vespertina pela varanda, para um lado e para o outro, para um lado e para o outro. Ou seja, o vento soprava da pior direção possível para atracar no farol. Sim, ele dizia coisas desagradáveis, a sra. Ramsay admitia; era odioso que ele enfatizasse isso e deixasse James ainda mais decepcionado; porém, ao mesmo tempo ela não deixava que rissem dele. "O ateu", diziam; "o ateuzinho". Rose caçoava dele; Prue caçoava dele; Andrew, Jasper, Roger caçoavam dele; até o velho Badger que não tinha um dente sequer tirou sua casquinha do rapaz por ser (nas palavras de Nancy) o jovem de número cento e dez a ir atrás deles nas Hébridas quando era muito melhor ficar sozinho.

"Bobagem", dizia a senhora Ramsay, com grande severidade. Independentemente do hábito do exagero, que os filhos puxaram dela, e da insinuação (procedente) de que ela convidava gente demais para ficar com eles, tendo que acomodar parte dos hóspedes no vilarejo, ela não tolerava falta de civilidade com seus convidados, principalmente com os moços, pobres como só, "excepcionalmente capazes", dizia o marido, grandes admiradores dele, e que vinham passar uns dias ali. Na verdade, ela protegia todo o outro sexo; por razões que ela não sabia explicar, por seu cavalheirismo e sua coragem, por eles negociarem tratados, governarem a Índia, controlarem as finanças; e finalmente por uma atitude em relação a si mesma que nenhuma mulher poderia deixar de sentir ou considerar agradável, uma confiança, algo infantil, reverencial; algo que uma mulher mais velha podia aceitar de um rapaz sem perda de sua dignidade, e infeliz a moça – queiram os céus que não fosse o caso de suas filhas! – que não sentisse na própria alma o valor que isso tem.

Ela olhou com severidade para Nancy. Ele não correu atrás de ninguém, disse ela. Ele foi convidado.

Eles tinham de achar um jeito de sair daquilo. Tinha de haver um jeito mais simples, menos trabalhoso, ela suspirou. Quando olhava no espelho e via seus cabelos brancos, o rosto afundado aos cinquenta anos, ela pensava que talvez pudesse ter lidado melhor com as coisas – o marido, o dinheiro, os livros dele. Mas de sua parte ela jamais se arrependia nem por um segundo de sua decisão, nunca fugia das dificuldades ou deixava de cumprir com suas obrigações. Ela era nesse momento algo formidável de se ver e só em silêncio, levantando os olhos de seus pratos, depois de ela ter falado tão severamente sobre Charles Tansley, suas filhas, Prue, Nancy, Rose, podiam elaborar as ideias sacrílegas que tinham de uma vida diferente da que ela levava; em Paris, quem sabe; uma vida mais agitada; nem sempre tomando conta de um ou outro homem; pois havia na cabeça de todas elas um mudo questionamento da deferência e do cavalheirismo, do Banco da Inglaterra e do Império Indiano, de anéis nos dedos e das rendas, embora para todas houvesse nisso algo da essência da beleza, que evocava a masculinidade em seus corações de meninas, e que as levava, sentadas à mesa sob o olhar da mãe, a respeitarem sua estranha severidade, sua extrema cortesia, como se fosse uma rainha se erguendo da lama para lavar os pés sujos de um mendigo, quando ela tão severamente as censurava por causa daquele ateu miserável que foi atrás deles – ou, para ser mais precisa, foi convidado a ficar com eles – na ilha de Skye.

– Não vai ter como desembarcar no farol amanhã – disse Charles Tansley batendo uma mão na outra, parado ali na janela ao lado do sr. Ramsay. Certamente ele já tinha falado o suficiente. Ela desejava que os dois deixassem-na em paz com James e voltassem a conversar entre si. Ela olhou para ele. Era um espécime miserável, todo errado. Não sabia jogar críquete; provocava os outros; arrastava os pés. Era um bruto cheio de sarcasmo, dizia Andrew. Eles sabiam qual era a coisa de que ele mais gostava, andar para lá e para cá, para lá e para cá com o sr. Ramsay, e dizer quem ganhou isso, quem ganhou aquilo, quem era um "sujeito de primeira classe" em poesia latina, quem era "brilhante, mas creio que essencialmente pouco sólido", quem era sem dúvida "o sujeito mais talentoso em Balliol", quem tinha temporariamente escondido seu talento em Bristol ou Bedford, mas que estava fadado a ser reconhecido mais tarde quando seus Prolegômenos, dos quais o senhor Tansley tinha consigo as primeiras páginas ainda em prova para caso o sr. Ramsay desejasse ver, ou algum ramo da matemática ou da filosofia viessem à luz. Era sobre isso que eles falavam.

Ela não conseguia deixar de rir às vezes. Outro dia, ela falou algo sobre "ondas altas como montanhas". "Sim", respondera Charles Tansley, "estava meio agitado". "Você não está completamente ensopado?", perguntara ela. "Úmido. Molhado não", retrucara o sr. Tansley, beliscando a manga, apalpando as meias.

Mas não era com isso que eles implicavam, disseram as crianças. Não era o rosto dele; não eram as maneiras. Era ele, o ponto de vista dele. Quando eles falavam de alguma coisa interessante, pessoas, música, história, qualquer coisa, até quando diziam que a noite estava bonita, então por que não se sentar lá fora, o que eles reclamavam de Charles Tansley era que ele não se dava por satisfeito até virar a coisa toda de ponta-cabeça e fazer de alguma forma que aquilo passasse a ser sobre ele mesmo e os desmerecesse. E se ia numa galeria de arte, ele perguntava se a pessoa tinha gostado da gravata dele. Deus sabia, disse Rose, que a resposta era não.

Desaparecendo da mesa de jantar furtivamente como veados assim que a refeição acabou, os oito filhos do sr. e da sra. Ramsay foram para seus quartos, sua fortaleza numa casa onde não havia outro lugar com privacidade para discutir qualquer coisa, tudo; a gravata de Tansley; a aprovação do Projeto de Lei da Reforma; pássaros marinhos e borboletas; pessoas; enquanto o sol se derramava naqueles cômodos no ático, separados um do outro apenas por uma tábua e onde se ouvia claramente cada passo e a garota suíça chorando pelo pai que estava morrendo de câncer em um vale dos Grisões, e iluminava morcegos, flanelas, chapéus de palha, tinteiros, latas de tinta, escaravelhos e crânios de passarinhos, enquanto extraía das longas tiras de alga marinha pregadas na parede um cheiro de sal e mato, que também estava nas toalhas, ásperas com areia do banho.

Disputas, divisões, diferenças de opinião, preconceitos tecidos na própria fibra do ser, ah, a sra. Ramsay lamentava que tudo aquilo tivesse de começar tão cedo para eles. Eles eram tão críticos, os filhos dela. Falavam cada bobagem. Ela saiu da sala de jantar, segurando James pela mão, já que ele não ia com os outros. Parecia um disparate tão grande, achava ela – inventar diferenças, quando as pessoas, Deus bem sabia, já eram tão diferentes sem isso. As verdadeiras diferenças, ela pensou, de pé ao lado da janela da sala de estar, já bastam, mais do que bastam. Ela tinha em mente no momento ricos e pobres, os que estavam em cima e os que estavam embaixo; os grandes por nascimento recebendo dela respeito, ainda que um tanto relutante, pois corria nas veias dela o sangue daquela nobilíssima, embora ligeiramente mítica, família italiana, cujas filhas, espalhadas pelos salões ingleses no século dezenove, tinham ciciado tão encantadoramente, entrado tão arrebatadoramente, e dessa família foi que ela herdou toda a inteligência, a postura e o temperamento, e não dos preguiçosos ingleses, ou dos frios escoceses; porém num nível mais profundo ela ruminava o outro problema, dos ricos e dos pobres, e das coisas que ela via com seus próprios olhos toda semana, todo dia, aqui ou em Londres, quando visitava pessoalmente uma viúva, ou aquela esposa que passava por necessidades, levando nas mãos uma bolsa, um caderno e um lápis, com o qual ela anotava em colunas cuidadosamente traçadas para registrar rendas e despesas, emprego e desemprego, na esperança de que desse modo ela deixasse de ser uma mulher privada cuja caridade era em parte um apaziguador da própria indignação, em parte um alívio de sua própria curiosidade, e se tornasse aquilo que com sua mente destreinada ela admirava muito, uma investigadora, elucidando o problema social.

Eram perguntas insolúveis, foi a impressão que ela teve, ali de pé, segurando James pela mão. Ele a havia seguido até à sala de estar, aquele jovem de quem riam; ele estava de pé ao lado da mesa, mexendo em alguma coisa, estranhamente, sentindo-se excluído, como ela sabia sem olhar em volta. Todos tinham ido embora – todas as crianças; Minta Doyle e Paul Rayley; Augustus Carmichael; o seu marido –, todos tinham ido embora. Então ela virou-se com um suspiro, dizendo: – Será que o senhor ficaria entediado de vir comigo, sr. Tansley?

Ela tinha uma tarefa maçante para fazer na cidade; precisava escrever uma ou duas cartas; talvez levasse uns dez minutos; ela ia colocar o chapéu. E com seu cesto e a sombrinha, lá estava ela novamente, dez minutos depois, passando a sensação de estar pronta, de estar equipada para um passeio, que, no entanto, precisou interromper por um momento, ao passarem pelo gramado da quadra de tênis, para perguntar ao sr. Carmichael, estendido ao sol com seus olhos amarelos de gato entreabertos, de um jeito que fazia parecer que eles refletiam, como os olhos de um gato, os galhos se mexendo ou as nuvens que passavam, mas sem dar qualquer indício de pensamento ou emoção interior, se ele queria algo. Pois eles estavam partindo para a grande expedição, disse ela, rindo. Eles iam para a cidade. "Selos, papel de carta, tabaco?", sugeriu ela, parando ao seu lado. Mas não, ele não queria nada. Ele cruzou as mãos sobre a ampla barriga, piscou os olhos, como se quisesse responder amavelmente a esses agrados (ela foi sedutora, mas um pouco nervosa), porém não conseguisse, afundado como estava numa sonolência verde-acinzentada que envolvia todos eles, sem necessidade de palavras, numa vasta e benevolente letargia afetuosa; a casa toda; o mundo todo; todas as pessoas, pois ele tinha derramado no seu copo durante o almoço umas gotas de alguma coisa, o que explicava, pensavam as crianças, a vívida faixa amarelo-canário no bigode e na barba que, não fosse por isso, eram brancos como o leite. Não, nada, murmurou ele.

Era para ele ter sido um grande filósofo, disse a sra. Ramsay, enquanto eles se dirigiam para a vila de pescadores, mas casou mal. Segurando a sombrinha preta muito ereta, e movendo-se com um indescritível ar de expectativa, como se fosse encontrar alguém na próxima esquina, ela contou a história; um romance em Oxford com alguma moça; um casamento precoce; pobreza; mudança para a Índia; traduzindo um pouco de poesia "muito belamente, creio eu", disposto a ensinar aos rapazes persa ou hindustâni, mas que utilidade tinha isso? E agora ficava deitado, como eles o viram, no gramado.

Isso o lisonjeou; desprezado como ele tinha sido, foi um alívio que a sra. Ramsay lhe contasse aquilo. Charles Tansley se sentiu revigorado. Insinuando, também, como fazia, a grandeza do intelecto do homem, mesmo em sua decadência, a sujeição de todas as esposas – não que ela culpasse a garota, e o casamento tinha sido até feliz, acreditava ela – ao trabalho de seus maridos, ela fez com que ele se sentisse mais satisfeito consigo mesmo do que em qualquer outro momento até ali, e ele teria gostado, caso os dois tivessem pegado um táxi, por exemplo, de pagar pela corrida. Quanto à bolsinha dela, ele não poderia carregar? Não, não, disse ela, AQUILO era ela mesma quem carregava, sempre. Ela carregava mesmo. Sim, ele sentia isso nela. Ele sentia muitas coisas, algo em particular que o empolgava e perturbava por razões que ele não podia dizer. Ele gostaria que ela o visse, vestido e encapuzado, caminhando numa procissão. Uma bolsa, uma cátedra, ele se sentia capaz de tudo e se via, mas o que ela estava olhando? Para um homem colando um cartaz. A vasta folha ondulante se aplainava, e cada nova pincelada revelava novas pernas, cascos, cavalos, vermelhos e azuis brilhantes, lindamente lisos, até metade da parede ficar coberta com a propaganda de um circo; cem cavaleiros, vinte focas performáticas, leões, tigres... Esticando o pescoço para a frente, pois era míope, ela leu em voz alta: "Visitará esta cidade". Era um trabalho terrivelmente perigoso para um homem de um braço só, exclamou ela, ficar no topo de uma escada como aquela – seu braço esquerdo fora decepado por uma colheitadeira dois anos antes.

– Vamos todos! – exclamou, seguindo em frente, como se todos aqueles cavaleiros e cavalos a tivessem enchido de uma exultação infantil e ela tivesse esquecido sua compaixão.

– Vamos – disse ele, repetindo as palavras dela, falando, no entanto, com uma insegurança que a fez estremecer. "Vamos todos ao circo." Não. Ele não conseguia dizer isso direito. Ele não conseguia sentir direito. Mas por que não, perguntou-se ela. O que havia de errado com ele então? Ela gostava dele intensamente, no momento. Quando eram crianças, ninguém ia ao circo com eles?, perguntou ela. Nunca, respondeu ele, como se ela tivesse perguntado exatamente o que ele queria, como se aquilo fosse o que ele vinha querendo dizer durante todos esses dias, que eles não iam ao circo. Era uma família numerosa, nove irmãos, e o pai era trabalhador. – Meu pai é químico, sra. Ramsay. Ele tem uma loja – contou. Ele próprio pagava suas despesas desde os treze anos. Frequentemente, não tinha sobretudo no inverno. Ele nunca podia "retribuir a hospitalidade" (essas foram suas palavras secas e duras) na faculdade. Ele tinha que fazer as coisas durarem o dobro do tempo que as das outras pessoas; fumava o tabaco mais barato; desfiado; o mesmo que os velhos fumavam no cais. Ele trabalhava duro, sete horas por dia; o assunto dele agora era a influência que alguma coisa tinha sobre alguém. Eles estavam andando, e a sra. Ramsay não entendia bem o sentido, só as palavras, uma aqui e outra ali... dissertação... bolsa... aulas... conferências. Ela não conseguia acompanhar o feio jargão acadêmico, que saía com tanta fluência, mas disse a si mesma que agora via por que ir ao circo fez ele se sentir miserável, pobre rapaz, e por que ele começou, instantaneamente, a falar tudo aquilo sobre o pai, a mãe, os irmãos e irmãs, e ela ia cuidar para que não rissem mais dele; ela ia contar isso para Prue. O que ele ia gostar, supôs ela, era de dizer não que tinha ido ao circo, mas que tinha ido ver Ibsen com os Ramsay. Ele era um presunçoso terrível, ah, sim, um chato insuportável. Pois, embora eles agora tivessem chegado à cidade e estivessem na rua principal, com carroças passando sobre paralelepípedos, ele continuou falando sobre acordos, e ensino, e trabalhadores, e ajudar a nossa própria classe e palestras, até ela entender que ele tinha recuperado totalmente a autoconfiança, tinha se recuperado do circo e estava prestes (e agora ela gostava intensamente dele) a contar a ela, mas aqui, as casas desaparecendo de ambos os lados, eles chegaram ao cais, e toda a baía se espalhava diante deles, e a sra. Ramsay não pôde deixar de exclamar: "Ah, que lindo!" Pois a grande bacia de água azul estava diante dela; o antigo Farol, distante, austero, no meio; e à direita, até onde a vista alcançava, esmaecendo e caindo em suaves dobras baixas, as dunas verdes de areia com a relva selvagem que corria por cima, que sempre pareciam estar fugindo para alguma região lunar, desabitada de homens.

– Essa era a vista – disse ela, parando, ficando com os olhos mais acinzentados – que seu marido amava.

Ela parou por um instante. Mas agora, disse, artistas tinham vindo para cá. Ali, de fato, a poucos passos, estava um deles, de chapéu panamá e botas amarelas, sério, suave, absorto, por mais que fosse observado por dez meninos, com ar de profundo contentamento no rosto redondo e vermelho, contemplando, e então, ao terminar de contemplar, mergulhando; impregnando a ponta do pincel em algum monte macio de verde ou rosa. Desde que o senhor Paunceforte estivera lá, três anos antes, todas as telas eram assim, disse ela, verdes e cinza, com veleiros cor de limão e mulheres rosadas na praia.

Mas os amigos de sua avó, disse ela, olhando discretamente ao passar, eram os que se esforçavam mais; primeiro misturavam suas próprias cores, depois trituravam e então colocavam panos úmidos para evitar que a tinta secasse.

Ao ouvir isso, o sr. Tansley supôs que ela queria mostrar como a tela daquele sujeito era fajuta, era essa a palavra? As cores não eram sólidas? Era essa a palavra? Sob a influência daquela emoção extraordinária que vinha crescendo ao longo de toda a caminhada, que começou no jardim quando ele quis pegar a bolsa dela, aumentou na cidade quando ele quis contar tudo sobre si mesmo, ele estava começando a ver tudo o que conhecia ficar um pouco distorcido. Era muito estranho.

Ali estava ele na sala da casinha abarrotada aonde ela o levara, esperando enquanto ela subia por um momento para ver uma mulher. Ele ouviu os passos rápidos dela lá em cima; ouviu sua voz alegre, depois baixa; olhou para as esteiras, as latas de chá, as cúpulas de vidro; esperou com bastante impaciência; estava ansioso para fazer o caminho de volta para casa; estava decidido a carregar a bolsa dela; então ele a ouviu sair; fechar uma porta; dizer que eles deviam manter as janelas abertas e as portas fechadas, perguntar para as pessoas da casa se queriam algo (ela devia estar falando com uma criança) quando, de repente, ela entrou, ficou um instante em silêncio (como se estivesse fingindo lá em cima, e agora por um momento se permitisse ser ela mesma), ficou imóvel por um momento contra um quadro da Rainha Vitória usando a faixa azul da Jarreteira; quando de repente percebeu que era isso: ela era a pessoa mais linda que ele já tinha visto.

Com estrelas nos olhos e véus nos cabelos, com ciclames e violetas selvagens – que absurdo ele estava pensando? Ela tinha cinquenta anos, no mínimo; tinha oito filhos. Andando em meio a campos de flores e apertando contra o seio botões que se quebraram e cordeiros que caíram; com as estrelas em seus olhos e o vento em seus cabelos. Ele estava com a bolsa dela.

– Tchau, Elsie – disse ela, e eles caminharam pela rua, ela segurando a sombrinha ereta e andando como se esperasse encontrar alguém na esquina, enquanto, pela primeira vez na vida, Charles Tansley tinha uma extraordinária sensação de orgulho; um sujeito cavando em um bueiro parou de cavar e olhou para ela, deixou o braço cair e olhou para ela; pela primeira vez na vida, Charles Tansley sentiu um orgulho extraordinário; sentiu o vento e os ciclames e as violetas, pois estava caminhando com uma linda mulher. Ele estava com a bolsa dela.

2

— Não tem como ir ao Farol, James – disse ele, como se tentasse, por deferência à sra. Ramsay, suavizar a voz para parecer no mínimo simpático.

Homenzinho odioso, pensou a sra. Ramsay, por que continuar dizendo isso?

3

— Pode ser que você acorde e descubra que o sol está brilhando e os pássaros estão cantando — disse ela com compaixão, passando as mãos pelos cabelos do menino, pois seu marido, com sua cáustica afirmação de que o tempo não estaria bom, tinha destruído o ânimo do garoto, dava para ver. Ir ao Farol era uma paixão dele, ela percebeu, e depois, como se o marido não tivesse falado o suficiente, com sua cáustica afirmação de que amanhã o tempo não estaria bom, aquele homenzinho odioso veio estragar tudo mais uma vez.

— Pode ser que o dia esteja bonito amanhã — disse ela, alisando seu cabelo.

Só o que ela podia fazer agora era admirar a geladeira e virar as páginas do catálogo das lojas na esperança de encontrar algo como um ancinho ou um cortador de grama que, com seus dentes e cabos, exigiria maior habilidade e cuidado para recortar. Todos aqueles rapazes imitavam o marido dela, refletiu ela; ele dizia que ia chover; eles diziam que ia ser um verdadeiro tornado.

Mas nesse ponto, ao virar a página, subitamente a busca pela imagem de um ancinho ou de um cortador de grama foi interrompida. O murmúrio rouco, suspenso em intervalos irregulares pela retirada e colocação de cachimbos que dava a ela a certeza, embora não pudesse ouvir o que se dizia (já que ela estava sentada à janela que se abria para o terraço), de que os homens estavam conversando animados; esse som, que já durava meia hora e que havia suavemente ocupado seu lugar na escala de sons que exerciam pressão sobre ela, assim como o bater de bolas em tacos, o grito agudo e repentino de vez em quando, "Que tal isso? Que tal isso?", das crianças jogando críquete, havia parado; com isso a monótona queda das ondas na praia, que durante a maior parte do tempo servia como uma tatuagem regular e tranquilizadora em seus pensamentos e que parecia ter um efeito reconfortante ao repetir indefinidamente, enquanto ela se sentava com as crianças, as palavras de alguma velha canção de ninar, murmuradas pela natureza, "Eu estou protegendo você, eu sou seu apoio", mas que em outras ocasiões, repentina e inesperadamente, sobretudo quando os pensamentos se elevavam um pouco da tarefa que ela realmente tinha diante de si, não trazia esse significado gentil, mas como um fantasmagórico rufo de tambores derrotava implacável o ritmo da vida, levando a pensar que a ilha seria destruída e engolida pelo mar, e alertando a ela, cujo dia passara rapidamente com uma tarefa seguida de outra, que tudo era efêmero como um arco-íris – esse som que ficou obscurecido e escondido sob os outros de repente trovejou surdo em seus ouvidos e a fez levantar os olhos num impulso de terror.

Eles tinham parado de falar; essa era a explicação. Passando num segundo da tensão que tinha tomado conta dela para o outro extremo que, como se para compensá-la pelo gasto desnecessário de emoção, era frio, divertido e até ligeiramente malicioso, ela concluiu que o pobre Charles Tansley tinha sido rejeitado. Isso pouco importava para ela. Se seu marido exigia sacrifícios (e de fato ele exigia), ela alegremente lhe oferecia Charles Tansley, que havia esnobado seu filho.

Ainda por um momento, com a cabeça erguida, ela ouviu, como se esperasse algum som habitual, algum som mecânico regular; e então, ouvindo algo rítmico, meio falado, meio cantado, começando no jardim, enquanto o marido andava para lá e para cá no terraço, algo entre um grasnido e uma canção, ela voltou a se acalmar, certa novamente de que tudo estava bem, e olhando para o livro sobre seus joelhos, encontrou a foto de um canivete com seis lâminas que só podia ser cortado se James fosse bem cuidadoso. De repente, um grito, como um grito de sonâmbulo, meio acordado, algo como "Ataque com tiro e granada" bradado com a maior intensidade em seu ouvido, fez com que ela se virasse apreensiva para ver se alguém tinha ouvido. Só Lily Briscoe, ela descobriu feliz; e isso não importava. Mas a visão da garota parada na beira do gramado pintando foi um lembrete; ela devia manter a cabeça o máximo possível na mesma posição para a pintura de Lily. A pintura de Lily! A sra. Ramsay sorriu. Com seus olhinhos chineses e rosto franzido, ela nunca se casaria; não se podia levar muito a sério a pintura dela; era uma criaturinha independente, e a sra. Ramsay gostava dela por isso; então, lembrando-se de sua promessa, ela baixou a cabeça.

4

De fato, ele quase derrubou o cavalete, ao correr na direção dela agitando as mãos e gritando: "Cavalgamos com ousadia e com destreza", mas felizmente ele deu uma guinada e partiu, para morrer gloriosamente, supôs ela, nas alturas de Balaclava. Nunca ninguém foi ao mesmo tempo tão ridículo e tão alarmante. Mas enquanto ele continuasse assim, agitando as mãos, gritando, ela estaria segura; ele não ia parar e ficar olhando para o quadro dela. E era isso que Lily Briscoe não suportaria. Mesmo enquanto olhava para a composição, para a linha, para a cor, para a sra. Ramsay sentada na janela com James, ela mantinha uma antena varrendo o entorno para que ninguém se aproximasse de mansinho e de repente ela descobrisse que alguém estava olhando para a tela. Mas agora, com todos os sentidos aguçados como estavam, olhando, fazendo força, até que a cor da parede e a clematis roxa mais além queimassem em seus olhos, ela percebeu alguém saindo da casa, vindo em sua direção; mas de alguma forma ela adivinhou, pelos passos, William Bankes, e embora seu pincel tenha tremido, ela não virou, como teria feito se fosse o sr. Tansley, Paul Rayley, Minta Doyle, ou praticamente qualquer outra pessoa, sua tela sobre a grama, e deixou-a ali. William Bankes ficou ao lado dela.

Eles residiam no vilarejo e, por isso, entrando, saindo, dizendo boa-noite já bem tarde nos capachos das portas, eles tinham falado miudezas sobre a sopa, sobre as crianças, sobre uma e outra coisa que os tornaram aliados; e por isso, quando ele se deixou ficar ao lado dela agora com seus modos sérios (ele tinha idade para ser pai dela, botânico, viúvo, cheirando a sabão, muito meticuloso e limpo), ela simplesmente ficou lá. Ele simplesmente ficou lá. Os sapatos dela eram excelentes, ele observou. Permitiam que os dedos dos pés se expandissem naturalmente. Hospedando-se na mesma casa que ela, ele notou também como ela era organizada, levantando antes do café da manhã e saindo para pintar, acreditava ele, sozinha: pobre, presumivelmente, e sem a pele ou o fascínio da senhorita Doyle, certamente, mas com um bom senso que a tornava aos olhos dele superior àquela jovem. Agora, por exemplo, quando Ramsay foi na direção dos dois, gritando, gesticulando, a senhorita Briscoe, ele tinha certeza, entendeu.

Alguém tinha cometido um erro.

O sr. Ramsay olhou para eles. Olhou para eles sem parecer vê-los. Isso deixou os dois vagamente desconfortáveis. Juntos, eles viram algo que não deviam ter visto. Tinham invadido a privacidade de alguém. Portanto, pensou Lily, provavelmente era uma desculpa dele para se mover, para sair de onde eles podiam ouvir, que levou o sr. Bankes a dizer quase imediatamente algo sobre estar frio e sugerir uma caminhada. Ela iria, sim. Mas foi com dificuldade que ela desviou os olhos da tela.

A clematis era de um violeta brilhante; a parede, de um branco ostensivo. Ela não teria considerado honesto mexer com o violeta brilhante e com o branco ostensivo, pois era assim que ela estava vendo, embora estivesse na moda, desde a visita do sr. Paunceforte, enxergar tudo pálido, elegante, quase translúcido. Depois, por baixo da cor, vinha a forma. Ela via tudo de modo tão claro, tão evidente, quando olhava: foi quando ela pegou o pincel que tudo mudou. Naquele voo de um instante entre a imagem e a tela pousaram sobre ela os demônios que tantas vezes a levavam à beira das lágrimas e que tornavam essa passagem da concepção ao trabalho tão terrível quanto qualquer outra passagem escura para uma criança. Ela frequentemente se sentia assim – lutando contra terríveis adversidades para manter sua coragem; dizendo: "Mas isso é o que eu vejo; isso é o que eu vejo", e assim manter agarrado ao peito algum miserável remanescente de sua visão, que mil forças fizeram o possível para arrancar dela. E foi então também, daquela maneira fria e tortuosa, quando ela começou a pintar, que as outras coisas começaram a se impor a ela, sua própria inadequação, sua insignificância, cuidar da casa de seu pai perto da Brompton Road, e ela teve muito trabalho para controlar o impulso de se atirar (graças a Deus, até agora ela sempre resistiu) aos joelhos da sra. Ramsay e dizer a ela... mas o que se poderia dizer a ela? "Estou apaixonada por você?" Não, isso não era verdade. "Estou apaixonada por tudo isso", mostrando com um gesto da mão a sebe, a casa, as crianças. Era absurdo, era impossível. Sendo assim, ela colocou seus pincéis ordenadamente na caixa, lado a lado, virando-se para William Bankes:

– Esfriou de repente. O sol parece menos quente – disse ela, olhando em volta, pois estava claro o suficiente, a grama ainda de um verde suave e profundo, a casa com flores roxas de maracujá estrelando sua vegetação, e gralhas soltando gritos frios do alto azul. Mas algo se moveu, brilhou, virou uma asa prateada no ar. Afinal, era setembro, meados de setembro, e já passava das seis da tarde. Assim, eles caminharam pelo jardim na direção de costume, passando pelo gramado da quadra de tênis, pelas painas, até aquela fenda na sebe espessa, guardada por lírios-tocha como braseiros de carvão em chamas, em meio aos quais as águas azuis da baía pareciam mais azuis do que nunca.

Eles iam lá regularmente, ao entardecer, atraídos por alguma necessidade. Era como se a água fizesse flutuar e pusesse em movimento pensamentos que se estagnaram em terra firme, e oferecesse a seus corpos até uma espécie de alívio físico. Primeiro, o pulso de cor inundava a baía de azul, e o coração se expandia com ele e o corpo nadava, só para no instante seguinte ser limitado e resfriado pela escuridão irritadiça das ondas agitadas. Então, atrás da grande rocha negra, quase todas as noites jorrava irregularmente, o que os obrigava a ficar observando à espera e tornava um deleite seu surgimento, uma fonte de água branca; de modo que era preciso vigiá-la e era uma delícia quando chegava, uma fonte de água branca; e então, enquanto se esperava por isso, observava-se, na praia pálida semicircular, onda após onda se espalhando continuamente, um filme de madrepérola.

Os dois sorriram, ali parados. Os dois sentiram uma mesma hilaridade, causada pelo movimento das ondas; e depois pela passagem deslizante de um barco à vela que, tendo feito uma curva na baía, parou; estremeceu; deixou suas velas caírem; e então, com um instinto natural de completar a composição, depois desse movimento rápido, ambos olharam para as dunas ao longe, e em vez de alegria sentiram sobre eles alguma tristeza – em parte porque a coisa estava concluída, e em parte porque vistas distantes parecem sobreviver em um milhão de anos (pensou Lily) ao espectador e já estar em comunhão com um céu que contempla uma terra inteiramente em repouso.

Olhando para as distantes colinas de areia, William Bankes pensou em Ramsay: pensou numa estrada em Westmorland, pensou em Ramsay caminhando por uma estrada sozinho, rodeado por aquela solidão que parecia ser seu ar natural. Mas isso foi subitamente interrompido, William Bankes se lembrou (e isso devia se referir a algum incidente real) de uma galinha, estendendo as asas para proteger uma ninhada de pintinhos, o que fez Ramsay parar, apontar a bengala e dizer: "Bonito... bonito", uma estranha luz em seu coração, pensou Bankes, que demonstrava sua simplicidade, sua simpatia pelas coisas humildes; mas a impressão dele era que a amizade dos dois acabara ali, naquele trecho da estrada. Depois disso, Ramsay se casou. Depois disso, aconteceu uma coisa aqui e outra ali, e a substância da amizade desapareceu. Ele não sabia dizer de quem era a culpa, só sabia que, depois de um tempo, a repetição substituiu a novidade. Era para repetir que eles se encontravam. Mas nesse tolo diálogo com as dunas de areia, ele afirmou que seu afeto por Ramsay continuava o mesmo;

mas lá, como o corpo de um jovem jogado na turfa havia um século, com o vermelho fresco nos lábios, estava a amizade deles, em sua agudeza e realidade, depositada do outro lado da baía em meio aos montes de areia.

Ele estava angustiado com essa amizade e talvez também ansioso para se livrar em sua própria mente da acusação de tê-la secado e murchado – pois Ramsay vivia em meio a uma balbúrdia de crianças, ao passo que Bankes não tinha filhos e era viúvo –, ele estava ansioso para que Lily Briscoe não menosprezasse Ramsay (um grande homem a seu modo) e, no entanto, desejava que ela compreendesse em que pé as coisas estavam entre eles. Iniciada havia muitos anos, a amizade deles se extinguiu em uma estrada de Westmorland, onde a galinha abriu as asas diante de seus pintinhos; depois disso Ramsay se casou, e os caminhos deles se afastaram, havendo, certamente sem culpa de ninguém, uma tendência, quando eles se encontravam, à repetição.

Sim. Foi isso. Ele concluiu. Ele desviou o olhar da paisagem. E dando meia-volta para começar a retornar, subindo, o sr. Bankes estava consciente de coisas que não teriam lhe ocorrido caso aquelas dunas não lhe tivessem revelado o cadáver de seu amigo deitado com o vermelho nos lábios sobre a turfa. Por exemplo, Cam, a garotinha, a filha mais nova de Ramsay. Ela estava colhendo alissos na margem. Ela era indócil e geniosa. Ela não ia "dar uma flor para o moço", como a babá mandou. Não! Não! Não! Ela não ia fazer isso! Ela cerrou o punho. Bateu o pé. E o sr. Bankes se sentiu envelhecido e triste e, de alguma forma, questionado por ela sobre sua amizade. Ele deve ter secado e murchado.

Os Ramsay não eram ricos, e era espantoso que tivessem conseguido criar tudo aquilo. Oito filhos! Alimentar oito crianças na base da filosofia! Eis outro deles ali, Jasper desta vez, passando, para atirar num passarinho, disse ele, indiferente, balançando a mão de Lily como se bombeasse algo ao passar, o que fez o sr. Bankes dizer, amargo, como ela era a preferida. Também tinha que se pensar na educação (verdade, talvez a sra. Ramsay tivesse alguns bens), sem falar nos sapatos e nas meias que iam sendo gastos por aqueles "grandes sujeitos", todos jovens bem crescidos, angulosos e implacáveis. Quanto a saber com certeza qual deles era qual e quem tinha nascido em qual ordem, isso estava além da compreensão dele. Na intimidade ele os chamava pelos nomes dos reis e rainhas da Inglaterra; Cam, a Maligna; James, o Implacável; Andrew, o Justo; Prue a, Bela – pois Prue haveria de ser bonita, ele imaginava, como era possível que ela evitasse isso? E haveria de ter a inteligência de Andrew. Enquanto ele caminhava pela trilha e Lily Briscoe dizia sins e nãos e rematava os comentários dele (pois ela estava apaixonada por todos eles, estava apaixonada por este mundo), ele julgou o caso de Ramsay, teve pena dele, sentiu inveja, como se o tivesse visto despojar-se de todas aquelas glórias de isolamento e austeridade que o coroaram na juventude para colocar definitivamente sobre si o fardo de asas esvoaçantes e aborrecimentos domésticos. Eles lhe davam algo – William Bankes reconheceu isso; teria sido agradável se Cam tivesse enfiado uma flor em seu casaco ou se lhe escalasse os ombros, como no caso de seu pai, para olhar uma imagem do Vesúvio em erupção; mas eles também tinham, os velhos amigos não podiam deixar de sentir, destruído algo. O que um estranho pensaria agora? O que Lily Briscoe pensava? Alguém poderia deixar de notar que ele havia adquirido certos hábitos? Excentricidades, fraquezas, talvez? Era surpreendente que um homem com aquele intelecto pudesse descer tão baixo quanto ele – mas essa era uma frase muito dura – que pudesse depender tanto do elogio das pessoas.

– Oh, mas – disse Lily – pense na obra dele!

Sempre que "pensava na obra dele", ela via claramente diante de si uma grande mesa de cozinha. Era coisa do Andrew isso. Ela perguntou do que falavam os livros do pai dele. "Sujeito e objeto e a natureza da realidade", respondeu Andrew. E quando ela disse "Céus", ela não tinha ideia do que isso significava. "Então pense numa mesa de cozinha", disse ele, "quando você não está lá".

Então agora ela sempre via, quando pensava na obra do sr. Ramsay, uma mesa de cozinha gasta. Agora ela estava pousada na forquilha de uma pereira, pois eles tinham chegado ao pomar. E com doloroso esforço ela concentrou sua mente não na casca com saliências prateadas da árvore, nem em suas folhas em forma de peixe, mas sim em uma mesa de cozinha fantasma, uma daquelas velhas mesas de madeira, ásperas e com nós, cuja virtude parece ter sido desnudada por anos de integridade muscular, que ficou presa ali, com as quatro pernas no ar. Claro que, caso alguém passasse os dias vendo essências angulares, essa redução de belas noites, com todas as suas nuvens de flamingo e azul e prata a uma mesa branca de quatro pernas (e fazer isso era uma marca das melhores mentes), naturalmente essa pessoa não podia ser julgada como sendo alguém comum.

O sr. Bankes gostou dela por pedir que "pensasse na obra dele". Ele tinha pensado nisso, muitas e muitas vezes. Vezes incontáveis, ele disse: "Ramsay é um daqueles homens que produziram o melhor de sua obra antes dos quarenta anos". Ele havia dado uma contribuição definitiva à filosofia em um pequeno livro quando tinha só vinte e cinco anos; o que veio depois foi mais ou menos amplificação, repetição. Mas a quantidade de homens que dão uma contribuição definitiva para qualquer coisa é muito pequena, disse ele, parando ao lado da pereira, bem escovado, meticulosamente exato, extraordinariamente sério. De repente, como se o movimento da mão dele tivesse libertado aquilo, a carga das impressões que ela havia acumulado sobre ele se inclinou derramando em uma avalanche pesada tudo o que ela sentia por ele. Essa foi uma sensação. Depois a essência do ser dele se elevou numa emanação. Essa foi outra. Ela se sentiu paralisada pela intensidade de sua percepção; era a severidade dele; sua bondade. Eu respeito você (ela falou com ele em silêncio) em cada átomo; você não é fútil; você é absolutamente impessoal; você é melhor do que o sr. Ramsay; você é o melhor ser humano que eu conheço; você não tem mulher nem filhos (sem qualquer sentimento sexual, ela ansiava por valorizar aquela solidão), você vive para a ciência (involuntariamente, pedaços de batatas surgiram diante dos olhos dela); um elogio seria um insulto para você; homem generoso, de coração puro e heroico! Mas, ao mesmo tempo, ela lembrou que ele trouxera um valete; que não gostava de cães em cadeiras; que discursava por horas (até o sr. Ramsay sair da sala) sobre sal nos vegetais e a iniquidade dos cozinheiros ingleses.

Como então tudo isso funcionava? Como alguém julgava as pessoas, pensava nelas? Como somar isso e aquilo e concluir que gostamos ou não gostamos? E que significado, afinal, associamos a essas palavras? De pé agora, aparentemente paralisada, ao lado da pereira, derramavam-se sobre ela impressões sobre aqueles dois homens, e seguir o pensamento era como seguir uma voz que fala rápido demais para que alguém anote a lápis, e a voz era sua própria voz dizendo, sem que ninguém pedisse, coisas inegáveis, eternas, contraditórias, a ponto de mesmo as fissuras e protuberâncias na casca da pereira ficarem irrevogavelmente fixadas ali para a eternidade. Você tem grandeza, continuou ela, mas o sr. Ramsay não tem. Ele é mesquinho, egoísta, vaidoso, egocêntrico; ele é mimado; é um tirano; ele consome a sra. Ramsay até a morte; mas ele tem o que você (ela se referia ao sr. Bankes) não tem; um desapego violento; ele não sabe nada sobre ninharias; adora cachorros e os filhos. Ele tem oito. O sr. Bankes não tinha nenhum. Outra noite ele não desceu com dois casacos para que a sra. Ramsay cortasse o cabelo dele usando uma forma de pudim? Tudo isso dançava para cima e para baixo, como um enxame de mosquitos, cada coisa separada, mas tudo maravilhosamente controlado por uma rede elástica invisível – dançava para cima e para baixo na mente de Lily, dentro e ao redor dos galhos da pereira, onde ainda pendia a efígie da mesa de cozinha com sua madeira gasta, símbolo de seu profundo respeito pela mente do sr. Ramsay, até que os pensamentos dela, que giravam cada vez mais rápido, explodiram em sua própria intensidade; ela se sentiu libertada; um tiro fora disparado bem perto e lá veio, voando para fugir de seus fragmentos, assustado, efusivo, tumultuoso, um bando de estorninhos.

– Jasper – disse o sr. Bankes. Eles se viraram na direção em que os estorninhos voavam, sobre o terraço. Seguindo a dispersão de pássaros voando velozes no céu, eles passaram pela abertura na sebe alta e deram de cara com o sr. Ramsay, que rugiu tragicamente para eles: – Alguém cometera um erro! Seus olhos, vidrados de emoção, desafiadores com trágica intensidade, encontraram os deles por um segundo e estremeceram à beira do reconhecimento; mas então, levantando a mão, a meio caminho de seu rosto, como se para evitar, para afastar, em uma agonia de vergonha irritadiça, o olhar normal dele, como se implorasse que os dois negassem por um momento o que ele sabia ser inevitável, como se ele gravasse neles seu próprio ressentimento infantil pela interrupção, e no entanto mesmo no momento da descoberta ele não seria totalmente derrotado, e estava determinado a agarrar-se a algo dessa emoção deliciosa, dessa impura rapsódia de que se envergonhava, mas que o deleitava, ele se virou abruptamente, bateu sua porta particular na cara deles; e Lily Briscoe e o sr. Bankes, olhando inquietos para o céu, observaram que o bando de estorninhos que Jasper espantara com sua arma pousou no topo dos olmos.

5

— E mesmo que o tempo não esteja bom amanhã – disse a sra. Ramsay, levantando os olhos para ver William Bankes e Lily Briscoe, quando eles passaram –, vai ser um novo dia. E agora – continuou, pensando que o charme de Lily eram seus olhos puxados, oblíquos em seu rostinho branco e franzido, mas seria preciso um homem inteligente para ver –, e agora levante-se e me deixe medir sua perna. – Pois eles talvez fossem ao Farol afinal de contas, e ela tinha que ver se a meia não precisava ter o cano uma ou duas medidas mais longo.

Sorrindo, pois foi uma ideia admirável essa que lhe ocorreu nesse exato segundo – William e Lily deviam se casar –, ela pegou a meia feita com vários novelos de cores diferentes, com as agulhas de aço cruzadas na boca, e mediu na perna de James.

– Meu querido, pare quieto – pediu ela, pois em seu ciúme, não gostando de servir de manequim para o filho do guardião do Farol, James se remexia de propósito; e se ele fizesse isso, como ela ia ver se a meia estava longa ou curta demais?, perguntou ela.

Ela olhou para cima – que demônio possuía o seu caçula, seu querido? – e viu a sala, viu as cadeiras, achou que estavam terrivelmente rotas. Suas entranhas, como Andrew disse outro dia, estavam espalhadas pelo chão; mas qual era o sentido, perguntou ela, de comprar cadeiras boas para deixar estragando aqui o inverno todo, quando a casa, com apenas uma velha para cuidar, chegava a pingar de umidade? Não importa, o aluguel era exatamente de dois pence e meio; as crianças adoravam; fazia bem ao marido dela estar a cinco mil quilômetros ou, caso ela devesse ser exata, a quinhentos quilômetros de suas bibliotecas, de suas palestras e de seus discípulos; e havia espaço para visitantes. Tapetes, camas de campanha, loucos fantasmas de cadeiras e mesas cuja vida útil em Londres havia chegado ao final – eles estavam muito bem aqui – e uma fotografia ou duas, e livros. Livros, pensou ela, brotavam espontaneamente. Ela nunca teve tempo para lê-los. Ai de mim! Até os livros que lhe foram dados e tinham dedicatória de próprio punho do autor: "Para aquela cujos desejos devem ser obedecidos"... "A Helena mais feliz dos nossos dias", vergonhoso dizer, ela nunca tinha lido. E o livro de Croom sobre o cérebro e o de Bates sobre os costumes selvagens da Polinésia ("Querido, pare quieto", dizia ela), nenhum dos dois podia ser enviado para o Farol. Em certo momento, ela supôs, a casa ficaria tão malcuidada que seria preciso fazer algo. Se fosse possível ensiná-los a limpar os pés e a não trazer a praia com eles para dentro de casa, já seria alguma coisa. Ela precisava deixar que eles levassem caranguejos, se Andrew realmente desejava dissecá-los, e também não dava para evitar algas marinhas, se Jasper acreditava que era possível fazer sopa com aquilo; ou os achados de Rose – conchas, juncos, pedras –, pois eles eram talentosos, seus filhos, mas todos de maneiras bem distintas. E o resultado disso era, ela suspirou, observando todo o cômodo do chão ao teto, enquanto segurava a meia contra a perna de James, era que as coisas ficavam cada vez mais precárias, verão após verão. O tapete estava desbotando; o papel de parede, esvoaçando. Não dava mais para dizer que havia rosas nele. Mesmo assim, se todas as portas de uma casa forem deixadas perpetuamente abertas e nenhum fabricante de fechaduras em toda a Escócia conseguir consertar um ferrolho, as coisas vão acabar estragando. De que adiantava jogar um xale de cashmere verde na borda de uma moldura? Em duas semanas ia ficar da cor de uma sopa de ervilhas. Mas eram as portas que a incomodavam; todas as portas eram deixadas abertas. Ela escutou. A porta da sala estava aberta; a porta do corredor estava aberta; parecia que as portas do quarto estavam abertas; e certamente a janela do patamar estava aberta, pois ela mesma tinha deixado assim. Por mais simples que fosse, nenhum deles se lembrava que as janelas deviam ser abertas e as portas, fechadas? Ela entrava nos quartos das empregadas à noite e os encontrava lacrados como fornos, exceto o de Marie, a garota suíça que preferia ficar sem banho a ficar sem ar fresco, mas então em casa, disse ela, "as montanhas são tão bonitas". Ela tinha dito isso ontem à noite olhando pela janela com lágrimas nos olhos. "As montanhas são tão bonitas." O pai dela estava morrendo, a sra. Ramsay sabia. Ela ia ficar órfã. Repreendendo e mostrando (como fazer uma cama, como abrir uma janela, com as mãos que se fecham e se abrem como as de uma francesa), tudo se dobrara silenciosamente em torno dela, quando a garota falou, como, depois de um voo pela luz do sol, as asas de um pássaro se dobram silenciosamente e o azul de sua plumagem muda de aço brilhante para lilás. Ela ficou ali em silêncio, pois não havia nada a ser dito. Ele tinha câncer na garganta. Com a lembrança – qual tinha sido a postura dela lá, como a garota tinha dito: "Em casa as montanhas são tão bonitas", e não havia esperança, nenhuma esperança, ela teve um espasmo de irritação e, falando rispidamente, disse a James:

– Fique parado. Não seja cansativo. – Para que ele soubesse instantaneamente que ela estava mesmo falando sério, e ele endireitou a perna e ela mediu. A meia estava muito curta, faltava pelo menos um centímetro e meio, considerando que o filho de Sorley era menos desenvolvido do que James.

– Muito curta – disse ela. – Curta demais.

Nunca alguém pareceu tão triste. Amarga e negra, descendo, na escuridão, no poço que vinha da luz solar até as profundezas, talvez uma lágrima tivesse se formado; uma lágrima caiu; as águas balançaram de um lado para o outro, receberam-na e pararam. Nunca alguém pareceu tão triste. Mas era só aparência, as pessoas diziam? O que havia por trás disso – da beleza e do esplendor dela? Ele tinha dado um tiro na cabeça, perguntavam, morreu uma semana antes de eles se casarem – algum namorado anterior, sobre o qual ouviam-se rumores? Ou não havia nada? Apenas uma beleza incomparável atrás da qual ela vivia e que ela nada podia fazer para perturbar? Pois, embora ela pudesse em algum momento de intimidade, quando alguém falava de histórias de grande paixão, de amor frustrado, de ambição frustrada, ter dito como ela também sabia o que era isso, como também passou por aquele tipo de coisa, ela nunca falou. Ela estava sempre em silêncio. Ela sabia, portanto – sabia sem ter aprendido. A simplicidade dela compreendia o que pessoas inteligentes disfarçavam. Sua singeleza de espírito a fazia cair verticalmente como uma pedra, pousar com a precisão de um pássaro, dava-lhe, naturalmente, esse mergulho e queda do espírito sobre a verdade que deleitava, aliviava, sustentava – talvez falsamente.

("A natureza tem pouca argila...", disse o sr. Bankes uma vez, muito comovido com a voz dela ao telefone, embora ela estivesse apenas contando um fato sobre um trem, "... como essa que usou para moldar você". Ele a viu na outra ponta da linha, grega, olhos azuis, nariz reto. Como parecia incongruente telefonar para uma mulher como aquela. A assembleia das Graças parecia ter se dado as mãos em prados de asfódelo para compor aquele rosto. Sim, ele ia pegar o trem das 10:30 em Euston.

"Mas ela não tem mais consciência de sua beleza do que uma criança", disse o sr. Bankes, pondo o fone novamente no gancho e atravessando a sala para ver o progresso que os operários estavam fazendo num hotel que estavam construindo nos fundos de sua casa. E ele pensou na sra. Ramsay enquanto olhava aquela agitação entre as paredes inacabadas. Pois sempre, pensou ele, havia algo incongruente a ser trabalhado na harmonia de seu rosto. Ela punha um chapéu de caçador na cabeça; corria pelo gramado usando galochas para pegar uma criança que estava sendo travessa. Portanto se você pensasse só na beleza dela, era preciso lembrar dessa beleza se agitando, dessa beleza viva (estavam carregando tijolos por uma pequena prancha enquanto ele os observava), e fazer com que isso entrasse na composição; ou se alguém pensasse nela simplesmente como mulher, era preciso dotá-la de algum capricho idiossincrático – ela não gostava de ser admirada – ou supor um desejo latente de despir-se da majestade de suas formas como se sua beleza a entediasse, assim como tudo que os homens dizem da beleza, e ela quisesse somente ser como as outras pessoas, insignificante. Ele não sabia. Ele não sabia. Ele precisava ir para o trabalho.)

Tricotando sua meia felpuda marrom-avermelhada, com a cabeça delineada de modo absurdo pela moldura dourada, o xale verde que ela havia jogado na borda da moldura e a obra-prima autenticada de Michelangelo, a sra. Ramsay suavizou em suas maneiras tudo o que estava enrijecido um momento antes, levantou a cabeça e beijou o filho na testa.

– Vamos encontrar outra foto para cortar – disse ela.

6

Mas o que tinha acontecido? Alguém tinha cometido um erro. A partir de suas reflexões, ela deu sentido a palavras que por muito tempo manteve sem significado em sua cabeça. "Alguém tinha cometido um erro". Detendo seus olhos míopes no marido, que agora se aproximava, ela olhou fixamente até que sua proximidade revelou (o verso tinha se incrustado em sua cabeça) que algo havia acontecido, que alguém tinha cometido um erro. Mas de maneira alguma ela conseguia pensar o quê.

Ele se arrepiou; ele estremeceu. Toda a sua vaidade, toda a satisfação que ele sentia com o próprio esplendor, cavalgando ameaçador como um raio, feroz como um falcão à frente de seus homens atravessando o vale da morte, foram despedaçadas, destruídas. Atacados por tiro e granada, corajosamente cavalgamos e disparamos através do vale da morte, disparamos e trovejamos – direto para Lily Briscoe e William Bankes. Ele se arrepiou; ele estremeceu.

Por nada no mundo ela teria falado com ele, percebendo, pelos sinais familiares, os olhos que não encontravam os dela, e uma curiosa postura de quem se recompõe, como se ele criasse uma redoma para si e precisasse de privacidade para recuperar o equilíbrio, que ele estava indignado e angustiado.

Ela acariciou a cabeça de James; transferiu para ele o que sentia pelo marido e, vendo o menino pintar com giz amarelo a camisa branca de um homem do catálogo das lojas do Exército e da Marinha, pensou como seria um prazer se ele se tornasse um grande artista; e por que não? Ele tinha uma testa esplêndida. Depois, olhando para cima, quando seu marido passou por ela mais uma vez, ela sentiu alívio ao descobrir que a ruína tinha sido coberta por um véu; a vida doméstica triunfou; o hábito murmurava seus ritmos calmantes, e sendo assim, quando ele parou deliberadamente, como se fosse novamente sua vez, ele se curvou na janela de um jeito curioso e extravagante para fazer cócegas na panturrilha nua de James com um raminho de alguma coisa, ela o repreendeu por ter despachado "aquele pobre jovem", Charles Tansley. Tansley teve que entrar e escrever sua dissertação, disse ele.

– Logo será o James que vai precisar escrever a dissertação dele – acrescentou ele ironicamente, sacudindo seu raminho.

Odiando o pai, James afastou o galhinho que ele estava usando a seu modo típico, misturando severidade e humor, para fazer cócegas na perna do caçula.

Ela estava tentando terminar aquelas meias cansativas para mandar para o filho do Sorley no dia seguinte, disse a sra. Ramsay.

Não havia a menor chance de ir ao Farol no dia seguinte, o sr. Ramsay retrucou irascível.

Como ele sabia?, perguntou ela. O vento mudava o tempo todo.

A irracionalidade extraordinária da observação, a tolice da mente das mulheres o enfureceu. Ele cavalgou pelo vale da morte, foi despedaçado e estremeceu; e agora, ela voava diante dos fatos, fazia seus filhos torcerem por algo que estava totalmente fora de questão; na verdade, ela estava mentindo. Ele bateu o pé no degrau de pedra. "Mas que droga", disse ele. Mas o que ela havia dito? Simplesmente que o tempo poderia estar bom no dia seguinte. E poderia.

Não com o barômetro caindo e o vento vindo do Oeste.

Tentar encontrar a verdade com tamanha falta de consideração pelos sentimentos dos outros, rasgar os finos véus da civilização de maneira tão temerária, brutal, para ela era um ultraje tão horrível contra a decência humana que, sem responder, atordoada e cega, ela baixou a cabeça como se para deixar que o granizo irregular, a chuva de água suja a atingissem sem revide. Não havia nada a ser dito. Ele ficou ao lado dela em silêncio. Com muita humildade, por fim, ele disse que perguntaria aos guardas-costeiros se ela quisesse. Não havia ninguém que ela reverenciasse tanto como a ele. Estava disposta a aceitar a opinião dele, disse ela. A única coisa é que nesse caso eles não precisariam fazer sanduíches – só isso. Eles vinham falar com ela o dia todo, naturalmente, já que ela era mulher, pedindo isso e aquilo; um querendo uma coisa, outro querendo outra; as crianças estavam crescendo; ela frequentemente sentia que não passava de uma esponja cheia de emoções humanas. Aí ele dizia: Mas que droga. Ele dizia: Vai chover. Ele dizia: Não vai chover; e instantaneamente um paraíso de segurança se abria diante dela. Não havia ninguém que ela reverenciasse mais. Ela não era boa o suficiente para amarrar os cadarços do sapato dele, era o que ela sentia.

Já envergonhado por aquela petulância, por aqueles gestos com as mãos enquanto liderava o ataque à frente de seus homens, o sr. Ramsay acanhadamente cutucou mais uma vez as pernas nuas do filho, e então, como se tivesse autorização dela para isso, com um movimento que estranhamente fez sua esposa se lembrar do grande leão-marinho no zoológico caindo para trás depois de engolir seu peixe e batendo forte para que a água do tanque balançasse de um lado para o outro, ele mergulhou no ar noturno que, já mais rarefeito, absorvia a substância de folhas e sebes, mas, como que em troca, devolvia às rosas um brilho que elas não haviam tido durante o dia.

– Alguém tinha cometido um erro – disse ele de novo, saindo a passos largos, para lá e para cá no terraço.

Porém como era extraordinária a mudança de sua melodia! Era como o cuco; "Em junho ele desafina"; como se ele estivesse fazendo uma tentativa, procurando uma frase para um novo humor, e tendo apenas isso em mãos, usou, ainda que quebrada. Mas parecia ridículo "Alguém tinha cometido um erro", dito assim, quase como uma pergunta, sem qualquer convicção, melodiosamente. A sra. Ramsay não pôde deixar de sorrir e logo, como era evidente que aconteceria, andando para cima e para baixo, ele cantarolou, parou e ficou em silêncio. Ele estava seguro, sua privacidade tinha sido restaurada. Parando para acender o cachimbo, ele olhou uma vez para a esposa e para o filho pela janela, e do mesmo modo que alguém levanta os olhos de uma página num trem expresso e vê uma fazenda, uma árvore, um aglomerado de cabanas como ilustração, como uma confirmação de algo na página impressa para a qual se retorna, fortalecido e satisfeito, ele também, sem distinguir seu filho ou sua esposa, sentiu-se fortalecido com a visão deles, que o satisfez e consagrou seu esforço para chegar a uma compreensão perfeitamente clara do problema que agora ocupava as energias de sua mente esplêndida.

Era uma mente esplêndida. Pois se o pensamento é como o teclado de um piano, dividido em muitas notas, ou como o alfabeto é dividido em 26 letras, todas em ordem, sua esplêndida mente não tinha dificuldade em percorrer essas letras uma a uma, com firmeza e precisão, até alcançar, digamos, a letra Q. Ele alcançou Q. Pouquíssimas pessoas em toda a Inglaterra alcançaram a letra Q. Aqui, parando por um momento perto do vaso de pedra que continha os gerânios, ele viu, mas agora longe, muito longe, como crianças pegando conchas, divinamente inocentes e ocupadas com pequenas bagatelas a seus pés e de alguma forma totalmente indefesas contra um destino que ele percebia, a esposa e o filho, juntos, na janela. Eles precisavam de sua proteção; ele dava proteção a eles. Mas depois do Q? O que vem depois? Depois do Q há várias letras, a última das quais mal é visível aos olhos mortais, mas cintila em vermelho à distância. O Z só é alcançado por um único homem a cada geração. Ainda assim, se ele pudesse alcançar R, seria algo. Pelo menos, ali estava o Q. Ele cravou seus pés em Q. Sobre o Q ele tinha certeza. Q ele podia demonstrar. Se Q é Q, então R... Aqui ele bateu o cachimbo, com duas ou três batidas ressonantes na alça da urna, e foi em frente. "Então R... Ele se preparou. Ele se contraiu.

Qualidades que teriam salvado a tripulação de um navio exposta em um revolto com seis biscoitos e um frasco de água – perseverança e justiça, previsão, devoção, habilidade, vieram em seu auxílio. R então é... o que é R? Uma película, como a pálpebra de couro de um lagarto, tremulava sobre seu olhar intenso e obscurecia a letra R. Naquele instante de escuridão ele ouvia as pessoas dizerem que ele era um fracasso, que R estava além das capacidades dele. Ele nunca alcançaria R. Rumo ao R, mais uma vez. R...

Qualidades que numa desolada expedição pela solidão gelada da região polar teriam feito dele o líder, o guia, o conselheiro, aquele cujo temperamento, nem otimista nem desanimado, examina com serenidade o que vem adiante e encara isso de frente, vieram em seu auxílio novamente. R...

Os olhos do lagarto piscaram mais uma vez. As veias de sua testa pulsavam. O gerânio do vaso tornou-se surpreendentemente visível e, exposta entre suas folhas, ele pôde ver, involuntariamente, aquela velha, aquela óbvia distinção entre as duas classes de homens; de um lado, aqueles que seguiam com constância em frente e que, dotados de força sobre-humana, laboriosos e perseverantes, repetem todo o alfabeto em ordem, todas as vinte e seis letras, do início ao fim; de outro lado, os talentosos, os inspirados que, milagrosamente, agrupam todas as letras em um instante – da maneira que só a genialidade permite. Ele não era gênio; não afirmava ser: mas tinha, ou poderia ter tido, o poder de repetir todas as letras do alfabeto de A a Z precisamente na ordem. Por enquanto, ele estava empacado no Q. Em frente, então, rumo ao R.

Sentimentos que não teriam desonrado um líder que, agora que a neve começava a cair e o topo da montanha estava coberto de névoa, sabe que vai se deitar e morrer antes que amanheça, invadiram-no, empalidecendo a cor de seus olhos, dando-lhe, ainda nos dois minutos de sua volta no terraço, a aparência desbotada de uma velhice murcha. No entanto, ele não ia morrer deitado; ia encontrar algum penhasco de rocha, e ali, com os olhos fixos na tempestade, tentando até o fim ver em meio à escuridão, ia morrer de pé. Ele jamais alcançaria o R.

Ele ficou imóvel, ao lado do vaso, com o gerânio fluindo sobre ele. Quantos homens em um bilhão, perguntou ele a si mesmo, chegam a Z afinal? Certamente o líder de um destacamento designado para uma missão impossível tem o direito de se perguntar isso e responder, sem traição à expedição em sua retaguarda: "Um, talvez", um a cada geração. Ele deveria ser repreendido, então, caso não fosse essa pessoa, tendo trabalhado honestamente, dando o melhor de si, e até que não tivesse mais nada para oferecer? E sua fama dura quanto tempo? Mesmo um herói moribundo tem o direito de pensar antes de morrer como os homens falarão dele no futuro. Sua fama talvez dure dois mil anos. E o que são dois mil anos? perguntou-se ironicamente, olhando para a sebe. O que é um período como esse, de fato, se você olhar do topo de uma montanha para as vastas eras dos séculos? A própria pedra que você chuta com sua bota vai durar mais do que Shakespeare. A pequenina luz dele brilharia, não muito intensamente, por um ou dois anos, e depois se fundiria em alguma luz maior, e essa se fundiria a outra ainda maior. (Ele olhou para a sebe, para a complexidade dos galhos.) Quem então poderia culpar o líder daquele destacamento designado para uma missão impossível que afinal subiu alto o suficiente para ver a passagem dos anos e o desaparecimento das estrelas, caso antes de a morte enrijecer seus membros além da possibilidade de qualquer movimento, ele levante com certa consciência os dedos entorpecidos até a testa e endireite os ombros, para que, quando o grupo de resgate vier, encontre morta em seu posto a bela figura de um soldado? O sr. Ramsay endireitou os ombros e ficou muito ereto ao lado do vaso.

Quem o culpará se, assim permanecendo por um momento, ele se demore pensando na fama, em grupos de resgate, em lápides erguidas por discípulos agradecidos sobre seus ossos?

Finalmente, quem culpará o líder dos soldados condenados caso, tendo enfrentado todos os perigos, e usado sua força até o último grama e adormecido sem se importar muito se acordará ou não, ele agora perceba, ao sentir um formigamento nos pés, que está vivo e não tem objeções a viver, mas sim pede simpatia e uísque, e alguém para contar imediatamente a história de seu sofrimento? Quem poderá culpá-lo? Quem não irá se regozijar secretamente quando o herói tirar sua armadura e parar perto da janela e olhar para a esposa e o filho que, muito distantes no início, gradualmente se aproximam cada vez mais, até que os lábios, o livro e a cabeça estejam claramente diante dele, embora ainda adoráveis e desconhecidos em função da intensidade de seu isolamento e da passagem das eras e do desaparecimento das estrelas, e finalmente colocando o cachimbo no bolso e inclinando sua magnífica cabeça diante dela, quem o culpará se ele prestar homenagens à beleza do mundo?

7

Mas o filho tinha ódio dele. Ódio por ir até eles, por parar e olhar para eles; ódio por interrompê-los; ódio pela exaltação e pela sublimidade de seus gestos; pela magnificência de sua cabeça; por sua exatidão e egoísmo (pois ali estava ele, ordenando-lhes que o atendessem), mas acima de tudo, ódio pelo ressoar e pelo chilreio da emoção do pai que, vibrando ao redor deles, perturbava a perfeita simplicidade e o bom senso da relação com a mãe. Ao olhar fixamente para a página, ele esperava fazer o pai seguir em frente; ao apontar o dedo para uma palavra, esperava chamar a atenção da mãe que, ele sabia e sentia raiva por isso, oscilou instantaneamente quando o pai parou. Mas não. Nada faria o sr. Ramsay seguir em frente. Lá estava ele, exigindo compaixão.

A sra. Ramsay, que estava sentada à vontade, envolvendo o filho com seu braço, se ajeitou e, meio que se virando, pareceu se erguer com esforço, lançando para o alto uma chuva de energia, uma coluna de flores, parecendo ao mesmo tempo animada e viva, como se todas as suas energias estivessem sendo fundidas e transformadas em força, queimando e iluminando (embora tenha ficado tranquilamente sentada, pegando sua meia novamente), e nessa deliciosa fecundidade, nessa fonte e floração de vida, a fatal esterilidade do homem mergulhou, como um bico de ferro, infértil e indefeso. Ele queria compaixão. Ele era um fracasso, disse ele. A sra. Ramsay reluzia suas agulhas. O sr. Ramsay repetiu, sem tirar os olhos do rosto dela, que era um fracasso. Ela soprou as palavras de volta para ele. "Charles Tansley..." disse ela. Mas ele precisava de mais do que isso. Era compaixão o que ele queria, ter a certeza de seu gênio, em primeiro lugar, e depois ser recolocado no círculo da vida, aquecido e acalmado, ter seus sentidos restaurados, sua esterilidade tornada fértil, e todos os aposentos da casa repletos de vida – a sala de estar; atrás dela, a cozinha; acima desta, os quartos; e além deles os quartos das crianças; eles devem ser mobiliados, devem estar cheios de vida.

Charles Tansley acreditava que era o maior metafísico da época, disse ela. Mas ele precisava de mais. Ele precisava de compaixão. Precisava ter certeza de que também vivia no coração da vida; que era necessário; não só aqui, mas em todo o mundo. Reluzindo as agulhas, confiante, ereta, ela criou a sala de estar e a cozinha, iluminou tudo; disse que ele ficasse à vontade, em casa e lá fora, que se divertisse. Ela riu, ela tricotou. De pé entre os joelhos dela, muito rígido, James sentiu todas as forças dela fulgurando para serem sorvidas e arrefecidas pelo bico de ferro, a cimitarra árida do macho, que golpeava impiedosamente, uma e outra vez, exigindo compaixão.

Ele era um fracasso, repetiu. Bem, então olhe, sinta. Reluzindo as agulhas, olhando ao redor, para fora da janela, para a sala, para o próprio James, ela assegurou, sem sombra de dúvida, com sua risada, sua postura, sua competência (como uma babá carregando uma lanterna ao atravessar um quarto escuro garante a uma criança birrenta), que era real; a casa estava cheia; o jardim florindo. Se ele tivesse fé implícita nela, nada o machucaria; por mais que ele se enterrasse ou por mais alto que subisse, nem por um segundo ele se encontraria sem ela. Com tamanho orgulho por sua capacidade de cercar e proteger, quase não restava uma única casca dela para que ela se conhecesse; tudo tinha sido esbanjado e estava gasto; e James, enquanto ficava rígido entre os joelhos dela, sentia a mãe crescendo e se transformando numa árvore frutífera de flores rosadas, coberta de folhas e galhos dançantes em que o bico de ferro, a árida cimitarra de seu pai, o homem egocêntrico, mergulhava e golpeava, exigindo compaixão.

Inflado pelas palavras dela, como uma criança que dorme satisfeita, ele disse, por fim, olhando para ela com humilde gratidão, restaurado, renovado, que ia dar uma volta; ia ver as crianças jogando críquete. Ele foi.

Imediatamente, a sra. Ramsey pareceu se dobrar, uma pétala fechando-se sobre a outra, e todo o tecido caiu em exaustão sobre si mesmo, de modo que ela só teve forças para mover o dedo, num intenso abandono à exaustão, cruzando do conto de fadas dos Grimm, enquanto latejava através de seu corpo, como um pulso numa mola que se expandiu até sua capacidade máxima e agora suavemente parasse de bater, o êxtase de uma criação bem-sucedida.

Cada nova pulsação parecia, conforme ele se afastava, envolver o marido e ela, e dar a cada um aquele consolo que duas notas diferentes, uma aguda, uma grave, soando juntas, parecem dar uma à outra ao se harmonizarem. No entanto, quando a ressonância morreu e ela voltou ao conto de fadas, a sra. Ramsey se sentiu não apenas exausta fisicamente (depois, e não na época, ela sempre sentiria isso), mas também havia tisnado seu cansaço físico com uma sensação ligeiramente desagradável de outra origem. Não que, ao ler em voz alta o conto *O pescador e sua esposa*, ela soubesse exatamente de onde aquilo vinha; e ela também não se deu permissão para colocar em palavras sua insatisfação quando percebeu, na virada da página, quando parou e ouviu estupidamente, ameaçadoramente, uma onda quebrar, de onde aquilo vinha: ela não gostou, nem por um segundo, de se sentir melhor do que o marido; e, além disso, não suportava não ter absoluta certeza, ao falar com ele, da verdade do que dizia. Que universidades e pessoas o queriam, que as palestras e os livros eram da mais alta importância – nem por um instante ela duvidava disso; mas era a relação deles, e o fato de ele vir a ela assim, abertamente, com todo mundo podendo ver, que a desconcertava;

porque aí diriam que ele dependia dela, quando deviam saber que dos dois ele era infinitamente o mais importante, e que o que ela deu ao mundo, em comparação com o que ele deu, era insignificante. Mas isso era outra coisa – não ser capaz de lhe dizer a verdade, ter medo, por exemplo, do telhado da estufa e do custo do conserto, talvez cinquenta libras; e sobre os livros dele, temer que ele pudesse adivinhar aquilo de que ligeiramente suspeitava, que o último livro dele não era exatamente o melhor que ele tinha escrito (ela deduziu isso falando com William Bankes); e ter de esconder pequenas coisas do cotidiano, e as crianças vendo isso, e o fardo que isso colocava sobre elas – tudo isso diminuía a alegria, a pura alegria, das duas notas soando juntas, e deixava o som morrendo em seu ouvido agora com uma triste insipidez.

Havia uma sombra na página; ela ergueu os olhos. Era Augustus Carmichael que passava arrastando os pés, precisamente agora, no exato momento em que era doloroso ser lembrado da inadequação das relações humanas, que até mesmo a mais perfeita tinha falhas, e que não resistia ao exame a que, amando seu marido, com seu instinto de buscar a verdade, ela submetia seu casamento; quando era doloroso sentir-se condenada por indignidade e impedida de exercer corretamente suas funções por essas mentiras, esses exageros – foi nesse momento que ela estava tão ignobilmente desanimada após ter se exaltado que o sr. Carmichael passou arrastando os pés, em seus chinelos amarelos, e algum demônio nela tornou necessário que ela perguntasse, quando ele passou: "Entrando, sr. Carmichael?"

8

Ele não disse nada. Ele havia fumado ópio. As crianças disseram que ele manchou a barba de amarelo. Pode ser. O que ficava óbvio para ela é que o pobre do sujeito era infeliz, vinha ficar com eles todo ano como uma fuga; e, no entanto, todo ano ela sentia a mesma coisa; ele não confiava nela. Ela disse: "Vou até a cidade. Quer que eu compre selos, papel, tabaco?", e ela sentiu que ele estremeceu. Ele não confiava nela. Aquilo era obra da esposa dele. Ela lembrou-se da iniquidade que a mulher fez com ele, que a deixou dura como aço ali, naquela salinha horrível em St John's Wood, quando com seus próprios olhos ela viu aquela mulher odiosa expulsá-lo de casa. Ele vivia desmazelado; deixava cair coisas no casaco; ele tinha o cansaço de um velho sem nada para fazer no mundo; e ela o expulsou da sala. Ela disse, daquele jeito odioso dela: "Agora, a sra. Ramsay e eu queremos ter uma conversinha", e a sra. Ramsay pôde ver, como se tudo estivesse diante de seus olhos, as inúmeras misérias de sua vida. Ele tinha dinheiro suficiente para comprar tabaco? Precisava pedir isso para ela? Meia coroa? Dezoito centavos? Ah, ela não suportava pensar nas pequenas indignidades que ela impunha ao marido. E agora (ela não conseguia pensar no motivo, a não ser que de alguma forma provavelmente tinha a ver com aquela mulher), ele sempre se encolhia diante dela. Ele nunca disse nada para ela. Mas o que mais ela poderia ter feito? Eles tinham lhe dado um cômodo ensolarado. As crianças eram boas com ele. Ela jamais deu sinais de que não o queria por perto. Na verdade, ela saía de seu caminho para ser gentil. Quer selos, quer tabaco? Olha aqui um livro que você pode gostar e assim por diante. E afinal de contas, afinal de contas (aqui ela sem se dar conta recompôs, fisicamente, a sensação de sua própria beleza tornando-se, o que raramente acontecia, presente para ela), afinal de contas, em geral ela não tinha dificuldade para fazer que as pessoas gostassem dela; por exemplo, George Manning; o sr. Wallace; por mais famosos que fossem, eles vinham até ela à noite, tranquilamente, e conversavam sozinhos ao lado da lareira. Ela trazia em si, e não podia ignorar isso, a tocha de sua beleza; ela a carregava erguida em qualquer cômodo onde entrasse; e, afinal de contas, por mais que a cobrisse com um véu e evitasse a postura monótona que isso lhe impunha, sua beleza era notória. Ela foi admirada. Foi amada. Entrou em quartos onde havia enlutados. Lágrimas rolaram em sua presença. Homens, e também mulheres, deixando de lado a multiplicidade das coisas, permitiram-se com ela o alívio da simplicidade. O fato de ele recuar diante dela a machucava. Doía. E, no entanto, não fazia isso de forma limpa, não fazia de forma correta. Era isso que a incomodava, ainda mais vindo logo na sequência do descontentamento que ela teve com o marido; a sensação que ela teve agora quando o sr. Carmichael passou arrastando os pés, apenas acenando com a cabeça como resposta para a pergunta dela, com um livro debaixo do braço, com seus chinelos amarelos, era de que ela era vista como suspeita; e que todo esse desejo dela de dar, de ajudar, era vaidade. Era para sua própria satisfação que ela desejava de modo tão instintivo ajudar, dar, para que as pessoas pudessem dizer dela "Oh, sra. Ramsay! Querida sra. Ramsay... a sra. Ramsay, é claro!", e para que precisassem dela e mandassem buscá-la e para que a admirassem? Não era secretamente isso que ela queria e, portanto, quando o sr. Carmichael recuava para longe dela, como havia feito nesse momento, fugindo para algum canto onde fazia acrósticos sem parar, ela não se sentia meramente desprezada em seu instinto, mas ciente da mesquinhez de alguma parte sua e das relações humanas, de como elas são imperfeitas, de como são desprezíveis, como são egoístas, mesmo nos melhores momentos. Exausta e desgastada, e presumivelmente (suas bochechas estavam encovadas, seus cabelos eram brancos) tendo já deixado de ser uma visão que enchia de alegria os olhos, seria melhor ela dedicar sua mente à história do pescador e sua esposa e assim pacificar aquele acúmulo de sensibilidade (nenhum de seus filhos era tão sensível quanto ele), seu filho James.

"O coração do homem ficou pesado", ela leu em voz alta, "e ele não queria ir. Ele disse a si mesmo: 'Não está certo', mas mesmo assim ele foi. E quando chegou ao mar, a água estava roxa e azul-marinho, cinza e densa, e não mais tão verde e amarelada, mas ainda estava tranquila. E ele ficou lá e disse..."

A sra. Ramsay podia ter desejado que seu marido não tivesse escolhido aquele momento para parar. Por que ele não foi, como disse que iria, ver as crianças jogando críquete? Mas ele não falou; ele olhou; assentiu; aprovou; seguiu em frente. Ele mergulhou, vendo diante de si aquela sebe que tantas vezes encerrou uma pausa, significou uma conclusão, vendo a esposa e o filho, vendo novamente os vasos com a trilha de gerânios vermelhos que tantas vezes decorou processos de pensamentos e que traziam escritos em suas folhas, como se fossem tiras de papel nas quais alguém rabisca anotações na pressa da leitura, ele mergulhou, vendo tudo isso, suavemente em especulações sugeridas por um artigo no *Times* sobre o número de americanos que visitam a casa de Shakespeare todo ano. Se Shakespeare nunca tivesse existido, perguntou ele, o mundo seria muito diferente do que é hoje? O progresso da civilização depende de grandes homens? Será a vida do ser humano médio hoje melhor do que no tempo dos faraós? Seria a vida do homem médio, no entanto, perguntou-se ele, o critério para julgarmos uma civilização? Provavelmente não. Provavelmente o bem maior exige a existência de uma classe de escravos. O ascensorista do metrô é uma necessidade eterna. O pensamento era desagradável para ele. Ele balançou a cabeça. Para evitá-lo, encontraria uma forma de desprezar o predomínio das artes. Argumentaria que o mundo existe para o ser humano médio; que as artes são apenas uma decoração imposta à vida humana; e não algo que expressa essa vida. Nem Shakespeare é necessário para isso. Sem saber exatamente por que queria menosprezar Shakespeare e resgatar o homem que está eternamente parado na porta do elevador, ele arrancou bruscamente uma folha da cerca viva. Tudo isso teria de ser servido aos jovens em Cardiff no mês que vem, pensou ele; aqui, em seu terraço, ele estava apenas em busca de alimento (ele jogou fora a folha que tinha colhido com tanto mau humor) como um homem que, estando em cima de seu cavalo, estende a mão para pegar um buquê de rosas ou enche os bolsos de nozes enquanto vaga pelas estradas e campos de um lugar que conhece desde a infância. Tudo era familiar; essa curva, essa escada, esse atalho que atravessa os campos. Ele podia passar horas assim, com seu cachimbo, em uma noite qualquer, pensando para cima e para baixo e entrando e saindo das velhas vias e terras comunitárias que lhe eram tão familiares, que estavam todos ligados à história daquela campanha militar ali, à vida desse estadista aqui, a poemas e a anedotas, a pessoas também, esse pensador, aquele soldado; tudo muito vivo e claro; mas com o tempo a alameda, o campo, o terreno comunitário, a frutífera nogueira e a sebe florida o levavam àquela outra curva da estrada onde ele sempre desmontava, amarrava o cavalo a uma árvore e seguia sozinho a pé. Ele chegou à beira do gramado e olhou para a baía lá embaixo.

Era destino dele, era sua peculiaridade, quisesse ele ou não, sair assim em uma faixa de terra que o mar está lentamente devorando, e ali ficar sozinho, como uma ave marinha desolada. Era seu poder, seu dom, de repente se livrar de todas as superfluidades, encolher e diminuir de forma que ele parecesse mais exposto e se sentisse mais livre, mesmo fisicamente, mas sem perder nada de sua intensidade mental, e assim permanecer em sua pequena elevação confrontando a escuridão da ignorância humana, o fato de nada sabermos e o fato de que o mar corrói o solo em que pisamos – esse era seu destino,

seu dom. Mas tendo jogado fora, ao desmontar, todos os gestos e ornamentos, todos os troféus de nozes e rosas, e encolhido de forma que ele esquecesse não apenas a fama, mas até mesmo seu próprio nome, ele manteve, mesmo naquela desolação, uma vigilância que não poupou nenhum fantasma e se regalava com nenhuma visão, e foi dessa forma que ele inspirou em William Bankes (intermitentemente) e em Charles Tansley (obsequiosamente) e agora em sua esposa, quando ela ergueu os olhos e o viu de pé na beira do gramado, profundamente, reverência, pena e gratidão também, como um poste cravado no leito de um canal em que as gaivotas se empoleiram e no qual as ondas batem inspira em alegres barcos de carga um sentimento de gratidão pelo fardo que ele está assumindo de marcar sozinho o canal durante a maré alta.
"Mas o pai de oito filhos não tem escolha." Resmungando meio alto, ele parou, se virou, suspirou, ergueu os olhos, procurou a imagem da esposa lendo histórias para o filho, encheu o cachimbo. Ele se desviou da visão da ignorância humana e do destino humano e do mar comendo o solo em que pisamos, que, caso ele tivesse sido capaz de contemplar fixamente, poderia ter levado a algo; e encontrou consolo em ninharias tão insignificantes em comparação com o augusto tema que tinha diante de si, que estava disposto a difamar esse conforto, a censurá-lo, como se ser pego feliz em um mundo de miséria fosse, para um homem honesto, o mais desprezível dos crimes. Era verdade; na maior parte do tempo ele era feliz; ele tinha sua esposa; tinha seus filhos; ele tinha prometido que dentro de seis semanas ia falar "umas bobagens" para os jovens de Cardiff sobre Locke, Hume, Berkeley e as causas da Revolução Francesa. Mas isso e o prazer que ele sentia nisso, a glória nas frases que ele escrevia, no ardor da juventude, na beleza da esposa, nas homenagens que chegaram a ele de Swansea, Cardiff, Exeter, Southampton, Kidderminster, Oxford, Cambridge – tudo tinha se depreciado e escondido sob a frase "falar bobagem", porque, na verdade, ele não fez aquilo que poderia ter feito. Era um disfarce; era o refúgio de um homem com medo de reconhecer os próprios sentimentos, que

não podia dizer: É disso que eu gosto, isso é o que sou; que lástima e que infelicidade para William Bankes e Lily Briscoe, que se perguntavam por que tais dissimulações seriam necessárias; por que ele sempre precisava de elogios; por que um homem tão corajoso em pensamentos tinha que ser tão tímido na vida; como ele era estranhamente venerável e risível ao mesmo tempo.

Ensinar e pregar estão além do poder humano, suspeitava Lily. (Ela estava guardando suas coisas.) Quanto maior a altura, maior o tombo. A sra. Ramsay dava a ele com muita facilidade o que ele pedia. E nesse caso a mudança deve ser perturbadora, disse Lily. Ele sai de seus livros e nos encontra brincando e falando bobagens. Imagine a mudança em relação às coisas em que ele pensa, dizia ela.

Ele estava vindo na direção deles. Parou e ficou olhando em silêncio para o mar. Então fez meia-volta.

9

— Sim – disse o sr. Bankes, vendo-o sair. Era uma verdadeira lástima. (Lily tinha dito alguma coisa sobre se assustar com ele, ele mudava de humor tão repentinamente.) Sim, disse o sr. Bankes, era uma grande lástima que Ramsay não conseguisse se comportar um pouco mais como as outras pessoas. (Pois ele gostava de Lily Briscoe; ele podia falar abertamente com ela sobre Ramsay.) É por isso, disse ele, que os jovens não leem Carlyle. Um velho resmungão mal-humorado que perdia a paciência porque o mingau estava frio; por que uma pessoa assim deveria ficar pregando para nós? Era o que o sr. Bankes achava que os jovens falavam hoje. Era uma grande lástima se você acreditasse, como ele, que Carlyle foi um dos grandes mestres da humanidade. Lily ficou com vergonha de dizer que não lia Carlyle desde a escola. Mas, na opinião dela, as pessoas gostavam ainda mais do sr. Ramsay por ele pensar que, se seu dedo mindinho doesse, o mundo inteiro devia acabar. Não era isso que a incomodava. Pois quem ele podia enganar? Ele pedia abertamente que fosse bajulado, admirado, as pequenas evasivas dele não enganavam ninguém. O que ela não gostava era da estreiteza dele, da cegueira, disse ela, enquanto o olhava.

– Um pouco hipócrita? – sugeriu o sr. Bankes, olhando também para as costas do sr. Ramsay, pois ele não estava pensando em sua amizade, e na Cam se recusando a lhe dar uma flor, e em todos aqueles meninos e meninas, e em sua própria casa, cheia de conforto, mas, desde a morte de sua esposa, muito silenciosa? Claro, ele tinha seu trabalho... Mesmo assim, preferia que Lily concordasse que Ramsay era, como ele disse, "um pouco hipócrita".

Lily Briscoe continuou guardando os pincéis, erguendo e baixando os olhos. Erguendo o olhar, lá estava ele, o sr. Ramsay, avançando na direção deles, gingando, descuidado, alheio, remoto. Um pouco hipócrita?, repetiu ela. Ah, não, o mais sincero dos homens, o mais verdadeiro (ali estava ele), o melhor; mas, baixando o olhar, ela pensou, ele vive absorto em si mesmo, é tirano, é injusto; e continuou olhando para baixo, de propósito, pois só assim ela poderia se manter firme, continuando na casa dos Ramsay. No exato momento em que a pessoa erguia o olhar e via aquelas pessoas, era tomada por aquilo que ela chamava de "estar apaixonada". Eles se tornavam parte daquele universo irreal, mas penetrante e empolgante, que é o mundo visto pelos olhos do amor. O céu se colava a eles; os pássaros cantavam por meio deles. E o que era ainda mais emocionante, ela percebia, também, ao ver o sr. Ramsay avançando e recuando, e a sra. Ramsay sentada com James na janela, e a nuvem se movendo, e a árvore se dobrando, como a vida, sendo feita de pequenos incidentes isolados, que vivemos um a um, tornava-se una e inteira como uma onda que nos empurra e lança junto com a água na praia.

O sr. Bankes esperava que ela respondesse. E ela estava prestes a dizer algo crítico em relação à sra. Ramsay, dizendo como também ela era alarmante, a seu modo, arrogante, ou algo nesse sentido, quando o sr. Bankes, com seu arrebatamento, tornou totalmente desnecessário que ela falasse. Pois era disso que se tratava considerando a idade dele, sessenta anos, e a sua pureza e impessoalidade, e o jaleco branco de cientista que parecia estar sempre sobre sua roupa. Para ele, olhar do modo que Lily o viu olhando para a sra. Ramsay era um arrebatamento, o equivalente, Lily sentia, aos amores de dezenas de rapazes (e talvez a sra. Ramsay jamais tivesse despertado os amores de dezenas de rapazes). Era amor, pensou ela, fingindo mover sua tela, destilado e filtrado; amor que nunca tentou agarrar seu objeto; mas, como o amor do qual os matemáticos dotam seus símbolos, ou que os poetas colocam em suas frases, estava destinado a se espalhar pelo mundo e tornar-se parte do legado humano. Assim era, de fato. O mundo certamente teria comungado disso, caso o sr. Bankes pudesse ter dito por que aquela mulher o agradava tanto; por que a visão dela lendo um conto de fadas para o filho tinha sobre ele precisamente o mesmo efeito que a solução de um problema científico, a ponto de fazer com que ele parasse para contemplá-la, e sentisse, como sentia quando provava algo incontestável sobre o sistema digestivo das plantas, que a barbárie foi domada, que o reinado do caos foi subjugado.

Esse arrebatamento – pois que outro nome se poderia dar àquilo? – levou Lily Briscoe a esquecer completamente o que estava prestes a dizer. Não era nada importante; algum comentário sobre a sra. Ramsay, que se desvanecera diante desse "arrebatamento", desse olhar silencioso pelo qual ela sentiu intensa gratidão; pois nada a consolava tanto, nada lhe causava tamanho alívio diante da perplexidade da vida, e nada tinha o mesmo poder miraculoso de reduzir seu fardo, nada se comparava a esse poder sublime, esse dom celestial, e perturbar isso, enquanto durasse, equivaleria a interromper o raio de sol quando ele risca o chão.

O fato de as pessoas amarem assim, o sentimento do sr. Bankes pela sra. Ramsey (ela olhou para ele pensativa) era útil, era estimulante. Ela esfregou os pincéis um a um num pedaço de pano velho, servilmente, de propósito. Ela se abrigou na reverência que cobria todas as mulheres; sentiu-se elogiada. Deixe que ele olhe; ela ia espiar sua tela.

Ela poderia ter chorado. Estava ruim, estava ruim, estava infinitamente ruim! Ela poderia ter feito de forma diferente, é claro; a cor poderia ter sido diluída e esmaecida; as formas poderiam ser mais etéreas; era assim que Paunceforte teria visto. Mas ela não via assim. Ela via a cor queimando em uma estrutura de aço; a luz da asa de uma borboleta pousada sobre os arcos de uma catedral. De tudo isso, apenas algumas marcas aleatórias rabiscadas na tela permaneceram. E isso nunca seria visto; nunca nem mesmo pendurado, e lá estava o sr. Tansley sussurrando em seu ouvido: "Mulheres não sabem pintar, mulheres não sabem escrever..." Ela lembrou agora o que ia dizer sobre a sra. Ramsay. Ela não sabia como teria dito; mas teria sido algo crítico. Alguma arrogância na outra noite tinha feito com que ela se aborrecesse. Seguindo o olhar que o sr. Bankes destinava à sra. Ramsay, ela pensou que nenhuma mulher jamais seria capaz de adorar outra mulher como ele a adorava; elas só podiam buscar abrigo sob a sombra que o sr. Bankes estendia sobre ambas. Seguindo o feixe do olhar dele, ela acrescentou seu próprio raio diferente, acreditando que ela era inquestionavelmente a mais linda das pessoas (curvada sobre seu livro); a melhor, talvez; mas também diferente da forma perfeita que se via ali. Mas por que diferente e diferente no quê?, perguntou-se ela, raspando sua paleta de todos aqueles montes de azul e verde que agora lhe pareciam torrões sem vida, mas que ela jurou que iriam lhe inspirar, forçar a se mover, a fluir, a seguir suas ordens amanhã. No que ela era diferente? Qual era o espírito dela, a essência, aquilo que fazia que, se você encontrasse uma luva amarrotada no canto de um sofá, tivesse a certeza, só de ver um dedo retorcido, que pertencia indiscutivelmente a ela? Ela era como um pássaro para velocidade, uma flecha para franqueza. Ela era obstinada; ela estava imponente (é claro, Lily lembrou a si mesma, estou pensando nas relações dela com as mulheres, e sou muito mais jovem, uma pessoa insignificante que mora perto da Brompton Road). Ela abria janelas de quartos. Ela fechava portas. (Ela tentou entoar em sua cabeça a melodia da sra. Ramsay.) Chegando tarde da noite, com uma leve batida à porta do quarto de alguém, envolvida num velho casaco de pele (pois a moldura de sua beleza era sempre assim – feita às pressas, mas apropriada), ela encenaria novamente o que quer que fosse – Charles Tansley perdendo o guarda-chuva; o sr. Carmichael fungando e bufando; o sr. Bankes dizendo: "Os sais vegetais estão perdidos". A tudo isso ela daria forma habilmente; até distorceria maliciosamente; e, indo até a janela, fingindo que precisava ir embora – era madrugada, dava para ver o sol nascendo – meio que voltaria atrás, e de modo mais íntimo, mas sempre rindo, insistia que ela devia, que Minta devia, que todos deviam se casar, já que, independentemente dos louros com que o mundo pudesse cobri-la (mas a sra. Ramsay não dava a mínima para a pintura dela), ou dos triunfos que ela conquistasse (provavelmente a sra. Ramsay teve lá sua cota de triunfos), e aqui ela se entristecia, se angustiava e voltava para sua cadeira, não havia como contestar isso: uma mulher que não se casou (ela seguraria levemente sua mão por um momento), uma mulher que não se casou perdeu o melhor da vida. A casa parecia cheia de crianças dormindo e a sra. Ramsay ouvindo; luzes sombreadas e respiração regular.

Ah, mas, Lily diria, ela tinha seu pai; sua casa; até mesmo, caso ela ousasse dizer, sua pintura. Mas tudo isso parecia tão pequeno, tão virginal, em comparação com a outra. No entanto, à medida que a noite avançava e luzes brancas criavam brechas nas cortinas, e até mesmo de vez em quando algum pássaro cantava no jardim, reunindo uma coragem desesperada ela insistiria que estava isenta da lei universal; imploraria para que fosse assim; ela gostava de ficar sozinha; gostava de ser ela mesma; ela não foi feita para isso; e então ela teria de se deparar com uma expressão séria de olhos de profundidade incomparável e confrontar a certeza simples da sra. Ramsay (e ela era como uma criança agora) de que sua querida Lily, sua pequena Brisk, era uma tola. Então, ela se lembrou, ela pôs a cabeça no colo da sra. Ramsay e riu e riu e riu, riu quase histericamente ao pensar na sra. Ramsay comandando com calma inabalável destinos que falhava completamente em entender. Ela ficou lá sentada, simples, séria. Ela tinha recuperado a consciência de quem era – aquele era o dedo torcido da luva. Mas em que refúgio ela tinha penetrado? Lily Briscoe finalmente ergueu os olhos, e lá estava a sra. Ramsay, totalmente inconsciente do motivo que havia causado seu riso, ainda no comando, mas agora com todos os traços de obstinação abolidos, e em seu lugar, algo claro como o espaço que as nuvens enfim revelam, o pequeno espaço do céu que dorme ao lado da lua. Seria aquilo sabedoria? Seria conhecimento? Seria, mais uma vez, a ilusão da beleza, que levava todas as nossas percepções, a meio caminho da verdade, a formar um emaranhado dourado? Ou será que ela trazia trancado dentro de si um segredo que certamente Lily Briscoe acreditava que as pessoas deviam conhecer para que o mundo pudesse seguir em frente? Nem todo mundo poderia ser tão desordenado, viver tão modestamente como ela. Mas se eles soubessem, poderiam contar a alguém o que sabiam? Sentada no chão com os braços em volta dos joelhos da sra. Ramsay, o mais perto que podia, sorrindo ao pensar que a sra. Ramsay jamais saberia o motivo daquela pressão, ela imaginou como nos recessos da mente e do coração da mulher que estava, fisicamente, tocando-a, estavam fixadas, como nos tesouros nos túmulos dos reis, tabuinhas com inscrições sagradas, que caso alguém pudesse decifrar, ensinariam tudo, mas nunca seriam exibidas abertamente, nunca tornadas públicas. Qual arte, dominada pelo amor ou pela astúcia, daria acesso àquelas câmaras secretas? Qual artifício para, como as águas vertidas num jarro, ligar-se inextricavelmente, tornar-se uno com o objeto que se adora? Poderia o corpo, ou a mente, conseguir isso ao sutilmente imiscuir-se nas intrincadas passagens do cérebro? Ou do coração? Será que o amor, que era como as pessoas se referiam àquilo, faria dela e da sra. Ramsay uma só? Pois não era conhecimento, mas sim unidade o que ela desejava, não eram inscrições em tábuas, nada que pudesse ser escrito em qualquer língua conhecida pelos homens, mas a intimidade em si, que é conhecimento, pensou ela, apoiando a cabeça no joelho da sra. Ramsay.

 Nada aconteceu. Nada! Nada! Enquanto ela encostava a cabeça no joelho da sra. Ramsay. E, no entanto, ela sabia que o conhecimento e a sabedoria estavam alojados no coração da sra. Ramsay. Como, então, perguntava-se ela, era possível saber algo sobre as pessoas, fechadas como eram? Apenas como uma abelha, atraída por algo doce ou pungente no ar, intangível ao toque ou ao paladar, rodeava a colmeia em forma de cúpula, percorria sozinha a imensidão do ar sobre os países do mundo e, em seguida, aproximava-se das colmeias com seus murmúrios e suas agitações; das colmeias, que eram pessoas. A sra. Ramsay se levantou. Lily se levantou. A sra. Ramsay saiu. Por dias pairou sobre ela, assim como depois de um sonho percebe-se uma mudança sutil na pessoa com quem se sonhou, mais vividamente do que qualquer coisa que ela diga, o som de murmúrios e, enquanto ela se sentava na cadeira de vime da sala de estar ela trajava, aos olhos de Lily, uma forma augusta; a forma de uma cúpula.

Esse raio seguia ao lado do raio do sr. Bankes direto para a sra. Ramsay sentada lendo com James em seu joelho. Mas agora, enquanto ela ainda olhava, o sr. Bankes tinha concluído. Ele colocou os óculos. Deu um passo para trás. Levantou a mão. Tinha semicerrado levemente seus claros olhos azuis, quando Lily, despertando, viu o que ele estava fazendo e estremeceu como um cachorro que vê uma mão levantada para bater nele. Ela teria arrancado sua tela do cavalete, mas disse a si mesma: é preciso. Ela se preparou para suportar a terrível provação de alguém olhando para sua tela. É preciso, disse ela, é preciso. E se é preciso que alguém veja, o sr. Bankes era menos alarmante do que outra pessoa. Mas que outros olhos pudessem ver o resíduo de seus trinta e três anos, o depósito de cada dia vivido misturado a algo mais secreto do que ela jamais havia dito ou mostrado no decorrer de todos aqueles dias foi uma agonia. Ao mesmo tempo, foi extremamente emocionante.

Nada poderia ser mais frio e silencioso. Tirando um canivete, o sr. Bankes bateu na tela com o cabo de osso. O que ela queria indicar com a forma roxa triangular, "bem ali"?, perguntou ele.

Era a sra. Ramsay lendo para James, respondeu ela. Ela sabia da objeção dele – que ninguém poderia dizer que aquilo era uma forma humana. Mas ela não estava em busca de semelhança. Mas por que razão ela havia colocado os dois ali então?, perguntou ele. Realmente, por quê? Exceto que, se ali, naquele canto, estava claro, aqui neste ela sentia a necessidade da escuridão. Embora aquilo fosse simples, óbvio, comum, o sr. Bankes estava interessado. Mãe e filho, então – objetos de veneração universal, e neste caso a mãe era famosa por sua beleza –, poderiam ser reduzidos, ponderou ele, a uma sombra roxa sem irreverência. Mas a tela não era sobre eles, disse ela. Ou, pelo menos, não no sentido que ele indicou. Havia outros sentidos também em que era possível reverenciá-los. Por uma sombra aqui e uma luz ali, por exemplo. A homenagem dela assumiu essa forma, se é que, como ela vagamente supôs, um quadro deva ser uma homenagem. Mãe e filho podem ser reduzidos a uma sombra sem irreverência. Uma luz aqui exigia uma sombra ali. Ele pensou. Ele estava interessado. De boa fé, aceitou aquilo cientificamente. A verdade é que todos os seus preconceitos estavam do outro lado, explicou ele. O maior quadro de sua sala, que os pintores elogiaram e avaliaram por um preço mais alto do que ele pagara, era das cerejeiras em flor nas margens do Kennet. Ele disse que passou sua lua de mel às margens do Kennet. Lily devia ir ver aquele quadro, disse ele. Mas então ele se virou, com os óculos levantados para examinar cientificamente o quadro dela. Sendo a questão as relações de volumes, de luzes e sombras, que, para ser honesto, ele nunca havia levado em conta antes, ele gostaria que ela explicasse: o que então ela queria dizer com aquilo? E ele indicou a cena diante deles. Ela olhou. Ela não conseguia mostrar a ele o que queria dizer com aquilo, não conseguia nem mesmo ver sem um pincel em mãos. Ela retomou sua antiga posição de pintar com os olhos turvos e modos distraídos, subjugando todas as suas impressões de mulher a algo muito mais geral; ficando mais uma vez sob o domínio daquela visão que ela via claramente antes e que agora era preciso tatear em meio a sebes, casas, mães e filhos – seu quadro. Era uma questão, ela se lembrou, de como conectar essa massa à direita com aquela à esquerda. Ela pôde fazer isso estendendo a linha do galho assim; ou de quebrar o vazio do primeiro plano com um objeto

(James talvez) desse jeito. Mas o risco era que, fazendo isso, a unidade do todo se quebrasse. Lily parou; ela não queria aborrecê-lo; delicadamente ela tirou a tela do cavalete. Mas a tela tinha sido vista; tinha sido tirada dela. Esse homem havia compartilhado com ela algo profundamente íntimo. E, agradecendo ao sr. Ramsay e à sra. Ramsay por isso, e o momento e o lugar, atribuindo ao mundo um poder do qual ela não suspeitava – que era possível descer por aquela longa galeria não mais sozinha, mas de braços dados com alguém, a sensação mais estranha do mundo, e a mais estimulante –, ela fechou a trava de sua caixa de tintas com mais firmeza do que o necessário, e o fecho pareceu envolver para sempre num círculo a caixa de tinta, o gramado, o sr. Bankes, e aquela vilã selvagem, Cam, que passava correndo.

10

Pois Cam passou roçando pelo cavalete; ela não parou para o sr. Bankes e Lily Briscoe; embora o sr. Bankes, que queria ter uma filha, tenha estendido a mão; ela não parou ao ver o pai, e passou a um centímetro dele; nem ao ver a mãe, que gritou "Cam! Preciso de você um momento!", enquanto ela passava correndo. Ela saiu voando como um pássaro, uma bala ou uma flecha, impelida por qual desejo, atirada por quem, dirigida contra qual alvo, quem poderia dizer? O que, o quê? A sra. Ramsay ponderou, observando-a. Pode ser uma visão – de uma concha, de um carrinho de mão, de um reino de fadas do outro lado da sebe; ou pode ser a glória da velocidade; ninguém sabia. Mas quando a sra. Ramsay chamou "Cam!" pela segunda vez, o projétil caiu no meio da trajetória, e Cam voltou, arrastando uma folha pelo caminho, para sua mãe.

Com o que ela estava sonhando, perguntou-se a sra. Ramsay, vendo-a absorta, enquanto estava ali, pensando algo, obrigando a mãe a repetir a mensagem duas vezes – pergunte para Mildred se Andrew, a srta. Doyle e o sr. Rayley voltaram. As palavras pareciam ter caído num poço, onde, embora as águas fossem claras, também distorciam as coisas tão extraordinariamente que, ainda durante a queda era possível ver as palavras se contorcendo para desenhar sabe lá Deus qual padrão na mente da criança. Que mensagem Cam daria à cozinheira? A sra. Ramsay se perguntou. E, de fato, só depois de esperar pacientemente e ouvir que havia uma velha na cozinha com as bochechas muito vermelhas, tomando sopa de uma vasilha, que a sra. Ramsay finalmente despertou aquele instinto de papagaio que havia captado as palavras de Mildred com tamanha precisão e agora poderia apresentá-las, caso alguém esperasse, em uma canção monótona. Pulando de um pé para o outro, Cam repetiu as palavras: "Não, eles não voltaram, e eu disse para Ellen tirar a mesa do chá".

Minta Doyle e Paul Rayley ainda não tinham voltado então. Isso só podia significar, pensou a sra. Ramsay, uma coisa. Ela devia aceitá-lo ou recusá-lo. Esse passeio depois do almoço para uma caminhada, mesmo que Andrew estivesse com eles, o que poderia significar? Exceto que ela havia decidido, corretamente, a sra. Ramsay pensou (e ela gostava muito, muito de Minta), aceitar aquele bom sujeito, que podia não ser brilhante, mas então, pensou a sra. Ramsay, percebendo que James puxava seu braço para que ela continuasse lendo *O pescador e sua esposa* em voz alta, que em seu próprio coração ela preferia infinitamente tolos a homens espertos que escreviam dissertações; Charles Tansley, por exemplo. De qualquer forma, a essa altura já devia ter acontecido, de um jeito ou de outro.

Mas ela leu: "Na manhã seguinte, a esposa acordou primeiro, e o dia acabava de raiar, e de sua cama ela viu o lindo campo à sua frente. Seu marido ainda estava se espreguiçando..."

Mas como Minta poderia dizer agora que ela não ia aceitá-lo? Não podia depois de concordar em passar tardes inteiras com ele andando à toa pelo campo, pois Andrew saía atrás de seus caranguejos, embora possivelmente Nancy estivesse com eles. Ela tentou se lembrar da visão deles parados na porta do corredor depois do almoço. Lá eles permaneciam, olhando para o céu, tentando adivinhar como ficaria o tempo, e ela disse, em parte para disfarçar a timidez deles, em parte para estimular os dois a sair (pois ela era solidária à causa de Paul): "Não se vê uma única nuvem num raio de quilômetros", e ao dizer isso ela sentiu o pequeno Charles Tansley, que havia seguido os dois, dar uma risadinha. Mas ela fez isso de propósito. Se Nancy estava lá ou não, ela não tinha certeza, olhando de um para o outro na sua imagem mental. Ela continuou a ler: "Ah, mulher", disse o homem, "por que ser rei? Eu não quero ser rei". "Bem", disse a esposa, "se você não quer ser rei, eu vou ser rainha; vá falar com o Linguado, porque eu vou ser a rainha".

– Entre ou saia, Cam – disse ela, sabendo que Cam tinha sido atraída só pela palavra "linguado" e que num momento ela ia se agitar e brigar com James como sempre. Cam saiu em disparada. A sra. Ramsay continuou lendo, aliviada, pois ela e James compartilhavam os mesmos gostos e se sentiam à vontade juntos.

"E quando ele chegou ao mar, ele estava cinza-escuro e a água subia e tinha um cheiro podre. Então ele foi e ficou perto da água e disse:
'Linguado, príncipe do mar,
Comigo, eu peço, venha falar;
Pois Isabel, minha mulher,
Deseja que eu lhe diga o que ela quer.
'Bem, o que ela quer então?', perguntou o Linguado." E onde eles estariam agora? A sra. Ramsay se perguntou, lendo e pensando, com bastante facilidade, as duas coisas ao mesmo tempo; pois o conto *O pescador e sua esposa* era como o baixo acompanhando suavemente uma melodia, que de vez em quando inesperadamente se misturava à canção. E quando ela deveria ser informada? Se nada acontecesse, ela teria que falar seriamente com Minta. Pois ela não podia sair andando à toa pelo campo, mesmo que Nancy estivesse com eles (ela tentou novamente, sem sucesso, visualizar as costas deles seguindo pelo caminho, e contar quantos eles eram). Ela tinha uma responsabilidade com os pais de Minta – a Coruja e o Atiçador. Os apelidos deles surgiram em sua mente enquanto ela lia. A Coruja e o Atiçador, sim, os dois certamente iam ficar chateados se soubessem, e com certeza eles iam ouvir falar que Minta, estando com os Ramsay, tinha sido vista etc. etc. etc. "Ele usava peruca

na Câmara do Parlamento e ela habilmente ajudou o cabeça do casal a subir as escadas", repetiu ela, tirando os dois de sua cabeça com uma frase que, voltando de alguma festa, inventou para divertir seu marido. Ah, meu Deus, disse a sra. Ramsay a si mesma, como foi que eles criaram essa filha incongruente? Essa moleca Minta, com um furo na meia? Como era possível que ela existisse naquela atmosfera imponente em que a empregada estava sempre removendo com uma pá de lixo a areia que o papagaio espalhava, e a conversa se reduzia quase inteiramente às façanhas – interessantes talvez, mas limitadas, no fim das contas – daquele pássaro? Naturalmente, ela a convidou para almoçar, para um chá, para jantar, por fim para ficar com eles em Finlay, o que resultou em algum atrito com a Coruja, sua mãe, e em mais ligações, e mais conversas, e mais areia, e realmente no final de tudo ela tinha contado mentiras suficientes sobre papagaios para toda uma vida (foi o que ela disse ao marido naquela noite, ao voltar da festa). E, no entanto, Minta veio... Sim, ela veio, pensou a sra. Ramsay, suspeitando de algum espinho no emaranhado desse pensamento; e encontrando-o descobriu que era o seguinte: certa vez uma mulher a acusara de "ter roubado o afeto de sua filha"; algo que a sra. Doyle disse fez com que ela se lembrasse novamente daquela acusação. Desejar dominar, desejar interferir, obrigar as pessoas a fazerem o que ela desejava – essa era a acusação contra ela, e ela a achava muito injusta. Como ela podia evitar de ser "assim" desse jeito que as pessoas olhavam? Ninguém poderia acusá-la de se esforçar para impressionar. Muitas vezes ela tinha vergonha por estar sempre tão mal arrumada. Ela não era dominadora, nem tirânica. Fazia mais sentido no caso de hospitais, ralos e laticínios. Ela se sentia apaixonada por coisas assim e, se pudesse, arrastaria as pessoas para que elas vissem. Nenhum hospital em toda a ilha. Era uma vergonha. Leite entregue em sua porta em Londres completamente marrom de sujeira. Devia ser considerado ilegal. Uma leiteria modelo e um hospital – essas duas coisas ela gostaria de fazer. Mas como? Com essa criançada toda? Quando eles fossem mais velhos, talvez ela tivesse tempo; quando eles estivessem todos na escola.

Ah, mas ela nunca quis que James ficasse um dia mais velho! O mesmo valia para a Cam. Esses dois ela gostaria de manter para sempre como eram, demônios cheios de maldade, anjos cheios de deleite, nunca os ver crescer e se tornarem monstros de pernas compridas. Nada compensaria a perda. Agora mesmo, quando ela leu para James, "e havia vários soldados com tambores e trombetas", e seus olhos escureceram, ela pensou, por que eles deveriam crescer e perder tudo isso? Ele era o mais talentoso, o mais sensível de seus filhos. Mas todos, pensou ela, eram muito promissores. Prue, um perfeito anjo no trato com os outros, e agora às vezes, especialmente à noite, ela era de tirar o fôlego com sua beleza. Andrew, até o marido dela admitia que seu dom para a matemática era extraordinário. E Nancy e Roger, os dois eram criaturas selvagens agora, correndo pelo campo o dia todo. Quanto a Rose, sua boca era muito grande, mas ela tinha um dom maravilhoso com as mãos. Se eles faziam um baile de máscaras, Rose fazia os vestidos; fazia tudo; gostava de arrumar mesas, flores, tudo. Ela não gostava que Jasper atirasse em pássaros; mas foi só uma fase; todos eles passavam por fases. Por que, ela perguntou, com o queixo na cabeça de James, eles cresciam tão rápido? Por que ir para a escola? Ela queria ter sempre um bebê. Ela nunca fora tão feliz quanto no tempo em que carregava um bebê nos braços. Aí as pessoas podiam dizer que ela era tirana, dominadora, autoritária, se quisessem; ela não se importava. E, tocando os cabelos dele com os lábios, ela pensou, ele nunca será tão feliz quanto agora, mas se conteve, lembrando como seu marido se irritava quando ela dizia isso. Mesmo assim, era verdade. Eles nunca seriam tão felizes quanto agora. Um jogo de chá de dez centavos deixou Cam feliz por dias. Ela ouvia os pés deles batendo no chão e os gritos acima de sua cabeça no momento em que eles acordavam. Eles vinham agitados pelo corredor. Aí a porta se abria e eles entravam, frescos como rosas, olhando fixamente, completamente acordados, como se entrar na sala de jantar depois do café da manhã, algo que eles faziam todos os dias, fosse um verdadeiro acontecimento para eles, e assim por diante, uma coisa após a outra, o dia todo, até que ela subia para lhes dar boa-noite e os encontrava presos a suas camas como pássaros entre cerejas e framboesas, ainda inventando histórias sobre alguma bobagem – alguma coisa que eles tinha ouvido, alguma coisa que tinham achado no jardim. Todos tinham seus pequenos tesouros... E então ela descia e dizia ao marido: Por que eles têm que crescer e perder tudo? Nunca mais vão ser tão felizes. E ele ficava com raiva. Por que ter uma visão tão sombria da vida?, dizia ele. Não é sensato. Pois era estranho; e ela acreditava que era verdade; que com toda a sua tristeza e desespero ele era mais feliz, mais esperançoso no geral, do que ela. Menos exposto às preocupações humanas – talvez fosse isso. Ele podia se apoiar em seu trabalho. Não que ela fosse "pessimista", como ele a acusava de ser. Ela achava que a vida era só – e uma pequena faixa de tempo se apresentava diante de seus olhos – seus cinquenta anos. Lá estava diante dela – a vida. A vida, pensou ela, mas não concluiu seu pensamento. Ela deu uma olhada na vida, pois tinha uma noção clara dela ali, algo real, algo privado, que ela não compartilhava nem com os filhos nem com o marido. Uma espécie de transação ocorria entre eles, em que ela estava de um lado e a vida de outro, e ela estava sempre tentando levar a melhor sobre a vida, assim como a vida tentava levar a melhor sobre ela; e às vezes elas negociavam (quando ela se sentava sozinha); havia, ela se lembrava, grandes cenas de reconciliação; mas em geral, por incrível que pareça, ela precisava admitir que tinha a impressão de que essa coisa que chamava de vida era algo terrível, hostil e pronto a atacar caso você desse chance. Havia problemas eternos: sofrimento; morte; os pobres. Sempre havia uma mulher morrendo de câncer, mesmo aqui. E mesmo assim ela tinha dito a todas aquelas crianças: vocês vão passar por tudo isso. Para oito pessoas, ela disse isso implacavelmente (e a conta da estufa seria de cinquenta libras). Por isso, sabendo o que os aguardava – amor, ambição e sentir uma solidão miserável em lugares sombrios –, ela frequentemente tinha esse sentimento: por que eles precisavam crescer e perder tudo? E aí ela dizia a si mesma, brandindo sua espada para

a vida: bobagem. Eles vão ser perfeitamente felizes. E aqui estava ela, pensou, sentindo novamente a vida como algo um tanto sinistro, fazendo Minta se casar com Paul Rayley; porque, independentemente do que ela pudesse sentir sobre sua própria trajetória, ela teve experiências que não precisavam acontecer com todos (ela não as nomeou para si mesma); ela era levada, rápido demais, ela sabia, quase como se fosse uma fuga para ela também, a dizer que as pessoas deviam se casar; as pessoas deviam ter filhos.
Será que ela estava errada sobre isso?, perguntou-se ela, revendo sua conduta nas últimas duas semanas e se perguntando se ela realmente havia pressionado Minta, que tinha apenas 24 anos, a se decidir. Ela estava inquieta. Ela não tinha rido disso? Será que ela não estava se esquecendo novamente da influência que tinha sobre as pessoas? O casamento precisava – ah, de todo tipo de qualidade (a conta da estufa seria de cinquenta libras); uma – ela não precisava dizer qual – era essencial; aquilo que ela tinha com seu marido. Será que eles tinham isso?
"Então ele vestiu as calças e fugiu como um louco", leu ela. "Mas lá fora uma grande tempestade estava enfurecida e soprando com tanta força que ele mal conseguia se manter de pé; casas e árvores tombaram, as montanhas tremeram, as rochas rolaram no mar, o céu estava escuro como breu, trovejou e o céu se iluminou, e o mar vinha com ondas negras altas como torres de igrejas e montanhas, e cheias de espuma branca em sua crista..."
Ela virou a página; faltavam só algumas linhas para terminar a história, embora já tivesse passado da hora de ele dormir. Estava ficando tarde. A luz no jardim disse isso a ela; e o branqueamento das flores e algo cinza nas folhas conspiraram juntos para despertar nela um sentimento de ansiedade. De início ela não conseguiu entender o motivo daquilo. Mas aí ela lembrou; Paul, Minta e Andrew não tinham voltado. Ela conjurou diante de si novamente o pequeno grupo no terraço em frente à porta do corredor, olhando para o céu. Andrew estava com sua rede e sua cesta. Isso significava que ele ia pegar caranguejos e coisas assim. Isso significava que ele ia escalar uma rocha; ele ia ser deixado

sozinho. Ou voltando em fila indiana por um daqueles pequenos caminhos acima do penhasco um deles podia escorregar. Ele ia rolar e cair. Estava ficando bem escuro.

Mas ela não deixou sua voz mudar nem um pouco enquanto terminava a história, e acrescentou, fechando o livro e falando as últimas palavras como se ela mesma as tivesse inventado, olhando nos olhos de James: "E eles ainda vivem lá neste exato momento".

– E fim – disse ela, e viu nos olhos dele, à medida que o interesse pela história morria neles, que alguma outra coisa tomava seu lugar; algo estranho, pálido, como o reflexo de uma luz, que ao mesmo tempo o levava a olhar e a se espantar. Virando, ela olhou para o outro lado da baía e, como ela sabia que veria, vindo regularmente em meio às ondas, primeiro dois feixes de luz rápidos e depois um longo e constante, lá estava a luz do Farol. Ele tinha sido aceso.

Dali a um momento ele ia perguntar a ela: "A gente vai para o Farol?" E ela teria que dizer: "Não, amanhã não; seu pai disse que não". Felizmente, Mildred veio chamá-los e a agitação os distraiu. Mas ele ficou olhando por cima do ombro enquanto Mildred o carregava, e ela sabia com certeza no que ele estava pensando, nós não vamos ao Farol amanhã; e ela pensou, ele vai se lembrar disso pela vida toda.

11

Não, pensou ela, reunindo algumas figuras que ele recortou – uma geladeira, uma máquina de cortar grama, um homem de terno –, as crianças nunca esquecem. Por isso era tão importante o que se dizia e o que se fazia, e era um alívio quando eles iam para a cama. Por enquanto, ela não precisava pensar em ninguém. Ela podia ser ela mesma, sozinha. E era disso que hoje em dia ela frequentemente sentia necessidade – de pensar; bom, nem era pensar. Ficar em silêncio; ficar sozinha. Tudo que ela tinha que ser e fazer, expansiva, cintilante, falante, se evaporava; e ela se reduzia, com uma sensação solene, a ser ela mesma, um núcleo de escuridão com um contorno iluminado, algo invisível para os outros. Embora ela continuasse a tricotar e se sentasse ereta, era assim que ela se sentia; e esse ser, tendo se livrado de suas conexões, estava livre para as aventuras mais estranhas. Quando a vida reduzia seu ritmo por um momento, a gama de experiências parecia ilimitada. E todos tinham sempre essa sensação de recursos ilimitados, supôs ela; cada um em seu momento, ela, Lily, Augustus Carmichael, deviam sentir, nossas manifestações, as coisas pelas quais as pessoas nos conhecem, são simplesmente infantis. Por baixo tudo é escuro, tudo é vasto, e é incomensuravelmente profundo; mas de vez em quando nós subimos à superfície e é

assim que alguém nos vê. Ela tinha a impressão de que seu horizonte era ilimitado. Havia todos os lugares que ela não tinha visto; as planícies da Índia; ela se sentiu puxando para o lado a grossa cortina de camurça de uma igreja em Roma. Esse núcleo de escuridão poderia ir a qualquer lugar, pois ninguém estava vendo. Ninguém podia impedi-la, pensou ela, exultante. Havia liberdade, havia paz, havia – o mais bem-vindo de tudo – um encontro consigo mesma, um descanso numa plataforma de estabilidade. Não era sendo ela mesma que ela encontrava repouso, pela sua experiência (nesse momento ela fez algo hábil com suas agulhas), mas só como um contorno de escuridão. Ao deixar de lado a personalidade, deixava-se de lado a preocupação, a pressa, a agitação; e sempre subia aos lábios dela alguma exclamação de triunfo sobre a vida quando as coisas se uniam nessa paz, nesse descanso, nessa eternidade; e parando ali, ela olhou para fora para encontrar aquele pulso do Farol, o pulso longo e constante, o último dos três, que era o seu pulso, pois ao observá-los com esse humor, sempre àquela hora, não podia deixar de ter um apego especial a uma das coisas que via; e essa coisa, o pulso longo e constante, era o pulso dela. Frequentemente, ela se pegava sentada e olhando, sentada e olhando, com o trabalho nas mãos até se tornar ela própria a coisa para a qual olhava – aquela luz, por exemplo. E aquilo fazia surgir em sua mente alguma pequena frase, como esta: "Crianças não se esquecem, crianças não esquecem", que ela ia repetindo e aumentando, isso vai acabar, isso vai acabar, disse ela. Vai chegar, vai chegar, quando de repente ela acrescentou: estamos nas mãos do Senhor.
 Mas imediatamente ela se irritou por dizer isso. Quem disse isso? Ela não; ela tinha caído na armadilha de dizer algo que não queria dizer. Erguendo os olhos por cima do tricô ela se deparou com o terceiro pulso e teve a impressão de que seus olhos se encontravam com eles mesmos, vasculhando como só ela poderia fazer em sua mente e em seu coração, expurgando aquela mentira, qualquer mentira. Ela louvava a si mesma ao louvar a luz, sem vaidade, pois ela era severa, ela vasculhava, era bela como aquela luz. Era estranho, pensou ela,

como uma pessoa, ao ficar sozinha, se inclinava para coisas inanimadas; árvores, riachos, flores; sentindo que aquelas coisas a expressavam; sentindo que as coisas se tornavam a própria pessoa; sentindo que aquelas coisas a conheciam, que em certo sentido eram a própria pessoa; sentindo uma ternura irracional assim (ela olhou para aquele longo feixe de luz estável) como sentia por si mesma. Elevou-se, e ela olhou e olhou com as agulhas suspensas, espiralando do raso da mente, elevou-se do lago de seu ser, uma névoa, uma noiva para encontrar seu amante.

O que a levou a dizer "Estamos nas mãos do Senhor?", ela ficou imaginando. A insinceridade que se esgueirava para colocar-se entre as verdades inflamou-a, irritou-a. Ela voltou ao tricô. Como algum Senhor poderia ter feito este mundo?, perguntou-se ela. Em sua cabeça ela sempre compreendeu o fato de que não há razão, nem ordem, nem justiça: o que havia eram o sofrimento, a morte, os pobres. Não havia traição baixa demais para o mundo cometer; ela sabia disso. Nenhuma felicidade durava; ela sabia disso. Ela tricotava com firme compostura, franzindo levemente os lábios e, sem se dar conta, enrijeceu e compôs as linhas do rosto segundo o hábito da sua seriedade de modo que, quando o marido passou, embora estivesse dando uma risadinha ao pensar que Hume, o filósofo, enorme de gordo, tinha ficado preso em um pântano, ele não pôde deixar de notar, ao passar, a severidade no cerne de sua beleza. Isso o entristeceu, e o distanciamento dela doeu nele, e ele sentiu, ao passar, que não poderia protegê-la e, quando chegou à sebe, ele ficou triste. Ele não podia fazer nada para ajudá-la. Ele devia ficar parado e observá-la. Na realidade, a verdade infernal era que ele piorava as coisas para ela. Ele estava irritado – era um homem sensível. A história do Farol fez com que ele perdesse a cabeça. Ele olhou para a sebe, para sua complexidade, sua escuridão.

Sempre, a sra. Ramsay tinha essa impressão, as pessoas saíam da solidão com relutância, agarrando-se a alguma coisa banal, um som, uma visão. Ela tentou ouvir algo, mas estava tudo muito quieto; o críquete tinha acabado; as crianças estavam tomando banho; havia apenas o som do mar. Ela parou de tricotar; segurou a longa meia marrom-avermelhada pendurada em suas mãos por um momento. Ela viu a luz novamente. Com uma certa ironia em sua interrogação, pois quando a pessoa acordava, suas relações mudavam, ela olhou para a luz constante, a luz impiedosa, implacável, que era tanto ela, mas que era tão pouco ela, que a tinha à sua disposição (ela acordava no meio da noite e a via curvada sobre a cama, acariciando o chão), mas apesar de tudo o que ela tinha pensado, observando-a com fascínio, hipnotizada, como se ela acariciasse com seus dedos de prata algum navio secreto em seu cérebro cuja explosão ia inundá-la de deleite, ela conhecera a felicidade, felicidade extraordinária, felicidade intensa, e isso coloria de prata as fortes ondas aumentando um pouco mais o brilho, à medida que a luz do dia se apagava, e o azul saía do mar e deslizava em ondas de puro limão que se curvavam, inchavam e rebentavam na praia, e o êxtase explodiu em seus olhos e ondas de puro deleite correram pelo chão de sua mente e ela sentiu: Basta! Basta!

Ele se virou e viu. Ah! Ela estava linda, mais linda agora do que ele jamais imaginou. Mas ele não podia falar com ela. Não podia interrompê-la. Ele queria falar com ela urgente, agora que James tinha ido dormir e ela finalmente estava sozinha. Mas ele resolveu, não; ele não ia interrompê-la. Ela agora estava distante dele em sua beleza, em sua tristeza. Ele decidiu deixá-la em paz e passou por ela sem dizer uma palavra, embora ele se sentisse magoado por ela parecer tão distante e ele não poder alcançá-la, incapaz de ajudá-la. E novamente ele teria passado por ela sem uma palavra se ela não tivesse, naquele exato momento, dado a ele por sua própria vontade o que ela sabia que ele nunca pediria, e chamado por ele e tirado o xale verde do porta-retratos, e ido em sua direção. Pois ele desejava, ela sabia, protegê-la.

12

Ela dobrou o xale verde sobre os ombros. Segurou o braço dele. A beleza dele era tão grande, disse ela, começando a falar de Kennedy, o jardineiro, ele era tão incrivelmente bonito que ela não conseguia demiti-lo. Havia uma escada apoiada na estufa e pedacinhos de massa grudados, pois estavam começando a consertar o teto. Sim, mas enquanto caminhava com o marido, ela sentiu que aquela fonte particular de preocupação estava dada. Ela tinha na ponta da língua a frase, enquanto eles andavam: "Vai custar cinquenta libras", mas em vez disso, como seu coração não a deixava tratar de dinheiro, ela falou sobre Jasper atirando em pássaros, e ele disse, de imediato, acalmando-a instantaneamente, que aquilo era natural em um menino, e que ele confiava que logo o garoto encontraria maneiras melhores de se divertir. Seu marido era tão sensato, tão justo. E então ela disse: "Sim; toda criança passa por fases". E começou a pensar nas dálias no canteiro grande e sobre as flores do próximo ano, e ela perguntou se ele tinha ouvido o apelido que as crianças haviam dado para Charles Tansley. O ateu, era como o chamavam, o ateuzinho. "Ele não é um espécime polido", disse o sr. Ramsay. "Longe disso", disse a sra. Ramsay.

Ela supôs que não havia problema em deixá-lo sozinho, e disse isso a ele, pensando se fazia sentido mandar cebolas; será que eles plantavam isso lá? "Ah, ele tem a dissertação para escrever", disse o sr. Ramsay. Ela sabia tudo sobre isso, disse a sra. Ramsay. Ele não falava de outra coisa. Era sobre a influência que alguém teve sobre alguma coisa. "Bem, é tudo com o que ele pode contar", citou o sr. Ramsay. "Reze para ele não se apaixonar pela Prue", disse a sra. Ramsay. Ele deserdaria a filha se ela casasse com ele, foi o que disse o sr. Ramsay. Ele não olhou para as flores que sua esposa estava considerando, mas para um ponto cerca de trinta centímetros acima delas. Não era um mau sujeito, acrescentou ele, e estava prestes a dizer que, de qualquer maneira, era o único jovem na Inglaterra que admirava seu... quando engoliu suas palavras. Ele não ia incomodar a mulher de novo com seus livros. "Essas flores pareciam merecer algum crédito", disse o sr. Ramsay, baixando o olhar e notando algo vermelho, algo marrom. Sim, mas essas ela havia plantado com as próprias mãos, foi o que ela disse. A questão era: o que aconteceria se ela mandasse cebolas; Kennedy plantaria? Era uma preguiça incurável a dele; acrescentou ela, seguindo em frente. Se ela ficava com ele o dia todo com uma pá na mão, às vezes funcionava. Então eles caminharam em direção aos lírios-tocha. "Você está ensinando suas filhas a exagerar", disse Ramsay, reprovando a esposa. Tia Camilla era muito pior do que ela, observou a sra. Ramsay. "Ninguém que eu conheça jamais considerou sua tia Camilla como modelo de virtude", disse o sr. Ramsay. "Ela foi a mulher mais bonita que já vi", disse a sra. Ramsay. "Esse título é de outra pessoa", disse o sr. Ramsay. Prue ia ser muito mais bonita do que ela, disse a sra. Ramsay. Ele respondeu que não via vestígio algum disso. "Bem, então, olhe hoje à noite", disse a sra. Ramsay. Eles pararam. Ele desejou que fosse possível induzir Andrew a trabalhar mais. Ele ia perder a chance de uma bolsa de estudos se não o fizesse. "Ah, bolsas de estudo!", disse ela. O sr. Ramsay achou a esposa tola por dizer isso sobre uma coisa tão séria como uma bolsa de estudos. Ele ia se orgulhar se Andrew conseguisse uma bolsa de estudos, disse ele.

Ela sentiria o mesmo orgulho ainda que ele não conseguisse, respondeu ela. Eles sempre discordaram sobre isso, mas não importava. Ela gostava que ele acreditasse em bolsas de estudo, e ele gostava que ela se orgulhasse do Andrew independentemente do que ele fizesse. De repente, ela se lembrou daqueles pequenos caminhos na beira dos penhascos. Não estava tarde?, perguntou ela. Eles não tinham voltado para casa ainda. Ele abriu o relógio sem cuidado. Mas mal passava das sete. Ele manteve o relógio aberto por um momento, decidindo que contaria a ela o que sentira no terraço. Para começar, não era razoável ficar tão nervoso. Andrew sabia cuidar de si mesmo. Depois, ele quis dizer a ela que, quando estava andando no terraço, agora há pouco, aqui ele ficou desconfortável, como se estivesse invadindo aquela solidão, aquele distanciamento, aquele distanciamento dela... Mas ela o pressionou. O que ele queria dizer, perguntou ela, pensando que era sobre o passeio ao Farol; que ele estava arrependido de ter dito "Mas que droga". Mas não. Ele não gostava de vê-la tão triste, disse ele. Eram só devaneios, protestou ela, corando um pouco. Os dois se sentiam incomodados, como se não soubessem se deviam continuar ou voltar. Ela disse que estava lendo uma história para James. Não, eles não podiam compartilhar aquilo; não podiam dizer aquilo.

 Eles tinham chegado ao espaço entre os dois arranjos de lírios-tocha e lá estava o Farol de novo, mas ela não se permitiu olhar. Se soubesse que ele estava olhando, Penou a sra. Ramsay, ela não teria se permitido ficar ali sentada, pensando. Ela não gostava de nada que a fizesse lembrar que ela tinha sido vista sentada pensando. Então ela olhou por cima do ombro, para a cidade. As luzes ondulavam e corriam como gotas de água prateada presas ao vento. E toda a pobreza, todo o sofrimento tinham se transformado nisso, a sra. Ramsay pensou. As luzes da cidade, do porto e dos barcos pareciam uma rede fantasma flutuando ali para marcar algo que havia afundado. Bem, se ele não podia compartilhar dos pensamentos da esposa, o sr. Ramsay disse a si mesmo, ele estava partindo rumo aos seus próprios. Ele queria continuar pensando, contando a si mesmo a história de como Hume estava preso num pântano; ele queria rir. Mas primeiro era absurdo se preocupar com Andrew. Quando tinha a idade de Andrew, ele caminhava pelo campo o dia todo levando só um biscoito no bolso e ninguém se importava com ele, ou pensava se ele tinha caído de um penhasco. Ele disse em voz alta que achava que sairia para um dia de caminhada se o tempo estivesse bom. Ele estava farto de Bankes e Carmichael. Ia ser bom um pouco de solidão. Sim, disse ela. Ele se irritou por ela não protestar. Ela sabia que o marido jamais faria isso. Ramsay estava velho demais para andar o dia todo com um biscoito no bolso. Ela se preocupava com os meninos, mas não com ele. Anos atrás, antes de casar, pensou ele, olhando para o outro lado da baía, enquanto eles estavam entre os aglomerados de lírios-tocha, ele tinha caminhado o dia todo. Fez uma refeição com pão e queijo numa taverna. Trabalhou dez horas seguidas; uma velhinha enfiava a cabeça de vez em quando e verificava o fogo. Esse era o lugar de que ele mais gostava, lá; aqueles montes de areia diminuindo na escuridão. Era possível andar o dia todo sem encontrar uma única alma. Quase não havia casas, nem uma única aldeia por quilômetros. Era possível pensar sozinho. Havia pequenas praias de areia onde ninguém havia estado desde o início dos tempos. As focas se sentavam e o encaravam. Às vezes ele tinha a impressão que em uma casinha lá longe, sozinho – ele parou, suspirando. Ele não tinha o direito. Pai de oito filhos, lembrou a si mesmo. E ele teria sido uma besta e um vira-latas se desejasse que uma única coisa fosse alterada. Andrew seria um homem melhor do que ele. Prue seria uma beldade, disse a mãe. Eles conteriam um pouco a inundação. No geral, foi um bom trabalho – seus oito filhos. Eles mostravam que ele não amaldiçoava inteiramente o pobre pequeno universo, pois numa noite como esta, pensou ele, olhando para a terra cada vez menor, a pequena ilha parecia pateticamente pequena, meio engolida pelo mar.

– Pobre lugarzinho – murmurou ele com um suspiro.

Ela ouviu. Ele dizia as coisas mais melancólicas, mas ela notou que ele sempre parecia mais alegre do que de costume logo depois de dizê-las. Toda essa formulação de frases era um jogo, pensou ela, pois se ela tivesse dito metade do que ele disse, ela já teria estourado seus miolos a essa altura.

Isso a incomodava, e ela disse a ele, de uma forma casual, que era uma noite perfeitamente adorável. E por que ele estava resmungando, ela perguntou, meio rindo, meio reclamando, pois adivinhou no que ele estava pensando – ele teria escrito livros melhores se não tivesse se casado. Ele disse que não estava reclamando. Ela sabia que ele não reclamava. Sabia que ele não tinha nada do que reclamar. E ele agarrou a mão dela, levou-a aos lábios e beijou com uma intensidade que trouxe lágrimas aos olhos dela, e rapidamente ele a deixou cair.

Eles se afastaram da vista e começaram a subir a trilha onde as plantas de folha verde e prata parecidas com lanças cresciam, de braços dados. O braço dele era quase como o de um jovem, pensou a sra. Ramsay, magro e rijo, e ela pensou com prazer em como ele ainda era forte, embora tivesse mais de sessenta anos, e como era indomável e otimista, e como era estranho que o fato de estar convencido, como ele estava, de todo tipo de horror, parecia não deprimi-lo, mas animá-lo. Não era estranho?, refletiu ela. Na verdade, ele às vezes parecia feito de maneira diferente das outras pessoas, parecia ter nascido cego, surdo e mudo para as coisas comuns, mas com olhos de águia para as coisas extraordinárias. A compreensão dele frequentemente a deixava perplexa. Mas ele notou as flores? Não. Ele notou a vista? Não. Ele ao menos notou a beleza da própria filha, ou se havia pudim em seu prato ou rosbife? Ele se sentava à mesa com eles como uma pessoa num sonho. E seu hábito de falar em voz alta, ou de recitar poesia em voz alta, estava cada vez tomando proporções maiores, ela estava com medo; porque às vezes era estranho...

Os melhores e mais brilhantes venham!

Pobre srta. Giddings, quando ele gritou isso na frente dela, quase caiu dura. Mas por outro lado, a sra. Ramsay, embora instantaneamente ficasse do lado dele contra todos os tolos Giddingses do mundo, por outro lado, pensou ela, insinuando com uma pequena pressão em seu braço, que ele estava subindo a colina rápido demais para ela, e que ela devia parar por um momento para ver se aquilo eram buracos de toupeira novos na margem, por outro lado, ela pensou, abaixando-se para olhar, uma grande mente como a dele deve ser diferente da nossa em todos os sentidos. Todos os grandes homens que ela conheceu, pensou ela, decidindo que um coelho devia ter entrado, eram assim, e fazia bem aos jovens (embora para o gosto dela a atmosfera das salas de aula fosse abafada e deprimente quase a ponto de se tornarem insuportáveis) simplesmente ouvi-lo, simplesmente olhar para ele. Mas sem atirar em coelhos, como fazer para controlá-los?, pensou ela. Pode ser um coelho; pode ser uma toupeira. De qualquer forma, alguma criatura estava arruinando suas prímulas-da-noite. E olhando para cima, ela viu acima das árvores finas o primeiro pulso da estrela pulsante, e quis que seu marido olhasse; pois a visão deu-lhe grande prazer. Mas ela se conteve. Ele nunca olhou para as coisas. Se olhasse, tudo o que diria seria, pobre mundinho, com um de seus suspiros.

    Naquele momento, ele disse: "Muito bem", para agradá-la, e fingiu admirar as flores. Mas ela sabia muito bem que ele não as admirava, nem chegava a perceber que elas estavam ali. Foi só para agradá-la... Ah, mas não era Lily Briscoe ali passeando com William Bankes? Ela focou seus olhos míopes nas costas de um casal que se retirava. Sim, realmente eram eles. Isso não significava que eles iriam se casar? Sim, deve significar! Que ideia admirável! Eles precisam se casar!

13

Ele tinha estado em Amsterdã, disse o sr. Bankes enquanto caminhava pelo gramado com Lily Briscoe. Viu os Rembrandts. Esteve em Madri. Infelizmente, era Sexta-Feira Santa e o Prado estava fechado. Ele foi a Roma. Miss Briscoe nunca esteve em Roma? Ah, mas ela devia ir – seria uma experiência maravilhosa para ela – à Capela Sistina; Michelangelo; e Padova, com seus Giottos. Sua esposa esteve com a saúde debilitada por muitos anos, por isso as viagens deles foram parcas. Ela tinha estado em Bruxelas; esteve em Paris, mas apenas numa visita rápida para ver uma tia doente. Esteve em Dresden; havia muitas telas que ela não tinha visto; no entanto, refletiu Lily Briscoe, talvez fosse melhor não tê-las visto: elas só a deixariam irremediavelmente descontente com o próprio trabalho. O sr. Bankes achava que era possível levar esse ponto de vista longe demais. Nem todos podemos ser um Ticiano e nem todos podemos ser um Darwin, disse ele; ao mesmo tempo, ele duvidava que fosse possível haver um Darwin e um Ticiano se não fosse por pessoas modestas como nós. Lily gostaria de fazer um elogio; o senhor não é modesto, sr. Bankes, ela gostaria de ter dito. Mas ele não queria elogios (a maioria dos homens quer, pensou ela), e ela sentiu uma certa vergonha de seu impulso e não disse nada enquanto ele comentava que talvez o que ele estava dizendo não se aplicasse a quadros. De qualquer forma, disse Lily, deixando de lado sua pequena insinceridade, ela sempre ia continuar pintando, porque isso a interessava. Sim, disse o sr. Bankes, ele tinha certeza de que sim e, quando chegaram ao fim do gramado, ele perguntou se ela tinha dificuldade em encontrar assuntos para seus quadros em Londres quando os dois se viraram e viram os Ramsay. Então isso é casamento, pensou Lily, um homem e uma mulher olhando para uma garota que arremessa uma bola. Foi isso que a sra. Ramsay tentou me dizer outra noite, pensou ela. Pois ela estava usando um xale verde, e eles estavam parados juntos assistindo Prue e Jasper jogando a bola de um para o outro. E de repente o significado que, sem nenhuma razão, como talvez aconteça com alguém saindo do metrô ou tocando uma campainha, se incorpora em certas pessoas, tornando-as simbólicas, tornando-as representativas, se incorporou neles, e fez dos dois, ali de pé ao crepúsculo, olhando, símbolos do casamento, marido e mulher. Então, depois de um instante, o contorno simbólico que transcendia as figuras reais voltou a desmoronar, e eles se tornaram, quando os dois os encontraram, o sr. e a sra. Ramsay observando as crianças jogando bola. Mas ainda por um momento, embora a sra. Ramsay tenha cumprimentado os dois com seu sorriso de costume (ah, ela está pensando que nós vamos nos casar, pensou Lily) e dito: "Hoje eu consegui", o que significava que pela primeira vez o sr. Bankes tinha concordado em jantar com eles e não fugir para seu próprio aposento, onde seu funcionário cozinhava vegetais do jeito correto; ainda assim, por um momento, houve uma sensação de coisas sendo destruídas, de espaço, de irresponsabilidade enquanto a bola subia alto, e eles a seguiram e a perderam e viram a única estrela e o drapejado de galhos.

Na luz que ia diminuindo, todos pareciam ter contornos nítidos e etéreos e estarem separados por grandes distâncias. Então, disparando para trás sobre o vasto espaço (pois parecia que a solidez havia desaparecido por completo), Prue correu a toda na direção deles e pegou a bola brilhantemente no alto em sua mão esquerda, e sua mãe disse: "Eles não voltaram ainda?", e então o feitiço foi quebrado. O sr. Ramsay agora se sentia livre para rir em voz alta ao pensar que Hume ficou preso em um pântano e uma velha o resgatou com a condição de que ele rezasse o Pai-Nosso, e rindo sozinho ele saiu para seu escritório. A sra. Ramsay, trazendo Prue de volta para o jogo, do qual ela havia escapado, perguntou:

– Nancy foi com eles?

14

Certamente, Nancy tinha ido com eles, já que Minta Doyle pediu com seu olhar estúpido, estendendo a mão, enquanto Nancy fugia, depois do almoço, para seu sótão, para escapar do horror da vida familiar. Ela supôs que devia ir então. Nancy não queria ir. Não queria ser arrastada para tudo aquilo. Pois enquanto eles caminhavam ao longo da estrada para o penhasco, Minta continuava segurando sua mão. Dali a pouco soltava. Depois pegava de novo. O que ela queria? Nancy perguntou a si mesma. Claro que as pessoas queriam algo; pois quando Minta pegava sua mão e segurava, Nancy, relutantemente, via o mundo inteiro se estender debaixo dela, como se fosse Constantinopla vista através de uma névoa, e então, por mais que alguém possa estar cansado, é preciso perguntar: "Aquela é Santa Sofia?", "Aquilo é o Corno de Ouro?". Foi o que Nancy se perguntou, quando Minta pegou sua mão. "O que ela quer? É isso?" E o que era isso? Aqui e ali emergia da névoa (enquanto Nancy olhava para a vida estendida debaixo de si) um pináculo, uma cúpula; coisas que se destacavam, sem nomes. Mas quando Minta largava sua mão, como fez quando eles desceram correndo a encosta, tudo aquilo, a cúpula, o pináculo, o que quer que se projetasse através da névoa, afundava nela e desaparecia.

Minta, observou Andrew, era uma boa andarilha. Ela usava roupas mais sensatas que a maioria das mulheres. Usava saias muito curtas e calças curtas pretas. Ela era capaz de pular direto num riacho e atravessar se debatendo. Ele gostou dessa imprudência, mas viu que não daria certo – ela acabaria se matando de alguma forma idiota um dia desses. Ela parecia não ter medo de nada – exceto de touros. Só de ver um touro no campo, ela levantava os braços e corria gritando, e evidentemente era exatamente isso que enfurecia um touro. Mas ela não se importava nem um pouco em confessar; é preciso admitir isso. Ela disse que sabia que era terrivelmente covarde com touros. Provavelmente ela tinha sido arremessada para fora do carrinho quando era bebê. Ela não parecia se importar com o que dizia ou fazia. De repente, ela ficou de pé na beira do penhasco e começou a cantar alguma música sobre... "Malditos sejam seus olhos, malditos sejam seus olhos." Todos eles tiveram que se juntar e gritar o refrão juntos: "Malditos sejam seus olhos, malditos sejam seus olhos", mas seria fatal deixar a maré subir e cobrir todos os bons campos de caça antes que eles chegassem à praia.

– Fatal – concordou Paul, pondo-se de pé, e enquanto eles desciam, ele continuava citando o guia que dizia que "essas ilhas eram justamente celebradas por suas paisagens parecidas com parques e pela extensão e variedade de suas curiosidades marinhas". Mas não ia funcionar, essa gritaria e esse amaldiçoar de olhos, Andrew teve a impressão, descendo o penhasco, dando tapinhas nas costas dele e o chamando de "velho" e tudo mais; não ia funcionar nem um pouco. Essa era a pior parte de levar mulheres para passear. Chegando à praia, eles se separaram, ele foi até o Nariz do Papa, tirou os sapatos, enrolou as meias dentro deles e deixou que o casal cuidasse da vida; Nancy caminhou até suas próprias rochas e procurou suas próprias piscinas naturais e deixou o casal cuidar da vida. Ela se agachou e tocou as anêmonas-do-mar, que pareciam borracha, grudadas como pedaços de gelatina na lateral da rocha. Pensativa, ela transformou a piscina em mar e dos peixinhos fez tubarões e baleias, e lançou vastas nuvens sobre este pequeno mundo colocando a mão contra o sol, e assim causou escuridão e desolação, como o próprio Deus, a milhões de criaturas ignorantes e inocentes, e depois tirou a mão de repente e deixou o sol passar. Na areia clara e sulcada, avançando a passos largos, com franjas e luvas, estava à espreita um leviatã fantástico (ela ainda estava aumentando a piscina) que se enfiou nas imensas fissuras da lateral da montanha. E então, deixando os seus olhos deslizarem imperceptivelmente acima da piscina e descansarem naquela linha ondulante de mar e céu, nos troncos de árvores que a fumaça dos navios a vapor fazia tremular no horizonte, ela ficou, com toda aquela força varrendo de modo selvagem e se retirando de maneira inevitável, hipnotizada, e os dois sentidos daquela vastidão e desta pequenez (a piscina havia diminuído novamente) florescendo ali faziam com que ela sentisse que estava de pés e mãos atados e que era incapaz de se mover pela intensidade de sentimentos que reduziam seu próprio corpo, sua própria vida, e as vidas de todas as pessoas do mundo, sempre, ao nada. Então, ouvindo as ondas, agachada sobre a piscina, ela ficou pensando.

 E Andrew gritou que o mar estava vindo, então ela saltou chapinhando nas ondas rasas até a costa e correu praia acima, e foi carregada por sua própria impetuosidade e seu desejo de movimento rápido até um lugar bem atrás de uma rocha e ali, oh, céus!, nos braços um do outro, estavam Paul e Minta, provavelmente se beijando. Ela ficou ultrajada, indignada. Ela e Andrew calçaram os sapatos e as meias num silêncio mortal, sem dizer nada sobre aquilo. Na verdade, eles eram bastante cáusticos um com o outro. Ela podia ter chamado quando viu o lagostim ou seja lá o que fosse, resmungou Andrew. No entanto, ambos sentiram, a culpa não é nossa. Eles não queriam que esse terrível incômodo tivesse acontecido. Mesmo assim, Andrew estava irritado por Nancy ser mulher e Nancy, por Andrew ser homem, e eles amarraram os cadarços bem bonitinho e puxaram os laços com bastante força.

Só depois de escalarem até o topo do penhasco novamente, Minta gritou que tinha perdido o broche da avó – o broche da avó, o único adorno que ela tinha –, um salgueiro-chorão (eles deviam se lembrar) incrustado em pérolas. Eles devem ter visto, disse ela, com lágrimas escorrendo pelo rosto, o broche que sua avó usou no chapéu até o último dia de sua vida. Agora ela tinha perdido. Ela preferia ter perdido qualquer outra coisa! Ela ia voltar e procurar. Todos eles voltaram. Eles cutucaram, espiaram e olharam. Mantiveram as cabeças baixas e foram lacônicos e grosseiros. Paul Rayley vasculhou como um louco na rocha onde eles estavam sentados. Toda essa confusão sobre um broche realmente não ia dar certo, pensou Andrew, quando Paul lhe disse que fizesse uma "busca minuciosa deste ponto até aquele". A maré estava subindo rápido. O mar ia cobrir num minuto o lugar onde eles tinham se sentado. Não havia a menor chance de encontrar o broche agora. Vamos ficar ilhados!, gritou Minta, subitamente apavorada. Como se houvesse algum perigo nisso! Era a mesma coisa dos touros, ela não tinha controle sobre suas emoções, pensou Andrew. Nenhuma mulher tinha. O pobre Paul precisou acalmá-la. Os homens (Andrew e Paul tornaram-se imediatamente viris e diferentes do normal) conversaram brevemente e decidiram que iam fincar a vara de Rayley onde eles tinham se sentado e voltar na maré baixa. Não havia mais nada que pudesse ser feito agora. Se o broche estivesse lá, ainda estaria lá pela manhã, eles garantiram, mas Minta, mesmo assim, soluçou até chegar ao topo do penhasco. Era o broche da avó dela; ela preferia ter perdido qualquer outra coisa; Nancy achava que podia ser verdade que ela se importava com o broche, mas que ela não estava chorando só por isso. Ela estava chorando por outra coisa. Todos nós podíamos sentar e chorar, era a impressão dela. Mas ela não sabia para quê.

 Eles seguiram em frente juntos, Paul e Minta, e ele a consolou, dizendo como era famoso por encontrar coisas. Uma vez, quando era pequeno, ele encontrou um relógio de ouro. Ele se levantaria ao amanhecer e tinha certeza de que encontraria o broche. Ele imaginou que estaria quase escuro e que ele estaria sozinho na praia e, de alguma forma, seria bastante perigoso. Ele começou a dizer para ela, porém, que certamente encontraria o broche, e ela disse que não queria que ele saísse com o sol nascendo, o broche estava perdido, ela sabia disso, ela teve um pressentimento ao colocá-lo naquela tarde. E secretamente ele resolveu que não contaria a ela, mas sairia às escondidas de casa ao amanhecer quando todos estivessem dormindo e, se não encontrasse o broche, iria a Edimburgo comprar outro para ela, igualzinho, porém mais bonito. Ele provaria o que era capaz de fazer. E quando eles subiram a colina e viram as luzes da cidadezinha abaixo deles, as luzes que se acendiam de repente uma a uma pareciam coisas que iam acontecer com ele – seu casamento, seus filhos, sua casa; e novamente ele pensou, quando eles saíram para a via principal, sombreada por arbustos altos, como eles iriam se retirar juntos para a solidão e como caminhariam sem parar, ele sempre a conduzindo, e ela colada a ele, ao lado (como estava agora). Quando eles viraram na encruzilhada, ele pensou na experiência terrível pela qual passara, e ele devia contar a alguém – a sra. Ramsay, é claro, pois ele perdia o fôlego de pensar no que tinha sido e o que tinha feito. Foi de longe o pior momento de sua vida quando ele pediu Minta em casamento. Ele iria direto para a sra. Ramsay, pois de alguma forma ele sentia que ela era a pessoa que o obrigara a fazer isso. Ela o fez pensar que ele poderia fazer qualquer coisa. Ninguém mais o levou a sério. Mas ela o levou a acreditar que ele era capaz de fazer o que quisesse. Ele sentiu os olhos dela sobre ele o dia todo, seguindo-o (embora ela nunca tenha dito uma palavra), como se ela dissesse: "Sim, você consegue. Eu acredito em você. Eu espero isso de você". Ela o fez sentir tudo isso, e logo que eles voltassem (ele procurou as luzes da casa acima da baía), ele iria até ela e diria: "Consegui, sra. Ramsay; graças à senhora". E assim, virando-se para a rua que levava à casa, ele pôde ver as luzes se movendo nas janelas superiores. Eles deviam estar terrivelmente atrasados então. As pessoas estavam se preparando para o jantar. A casa estava toda iluminada, e as luzes após a escuridão enchiam seus olhos, e ele disse a si mesmo, infantilmente, enquanto subia a estrada, luzes, luzes, luzes, e repetia de forma atordoada, luzes, luzes, luzes, quando eles entraram na casa olhando ao redor com o rosto bastante rígido. Mas, meu bom Deus, ele disse a si mesmo, colocando a mão na gravata, não posso fazer papel de bobo.

15

— Sim – disse Prue, com seu jeito pensativo, respondendo à pergunta da mãe –, acho que a Nancy foi com eles.

16

Pois bem, Nancy tinha ido com eles, supôs a sra. Ramsay, tentando imaginar, enquanto largava uma escova, pegava um pente e dizia "Entre" para alguém batendo à porta (Jasper e Rose entraram), se o fato de Nancy estar com eles tornava menos ou mais provável que algo acontecesse; isso diminuía a probabilidade, de alguma forma, a sra. Ramsay sentia, muito irracionalmente, exceto que, afinal, um holocausto dessa proporção não era provável. Não era possível que todos eles tivessem se afogado. E novamente ela se sentiu sozinha na presença de sua velha antagonista, a vida. Jasper e Rose disseram que Mildred queria saber se devia atrasar o jantar.

– Nem que fosse para esperar a Rainha da Inglaterra – disse a sra. Ramsay enfaticamente.

– Nem para a Imperatriz do México – acrescentou ela, rindo de Jasper; pois ele compartilhava o vício da mãe: também era exagerado.

E se Rose quisesse, disse ela, enquanto Jasper levava a mensagem, ela podia escolher quais joias usar. Quando há quinze pessoas para jantar, não se pode deixar as coisas esperando para sempre. Agora ela estava começando a ficar irritada com eles por chegarem tão tarde; era falta de consideração da parte deles, e ela ficava aborrecida, além de ansiosa, que eles tivessem escolhido justamente esta noite para ficarem fora até tarde, quando, na verdade, ela desejava que o jantar fosse particularmente agradável, já que William Bankes finalmente consentiu em jantar com eles; e eles serviriam a especialidade de Mildred – *boeuf en daube*. Tudo dependia de as coisas serem servidas no momento preciso em que estivessem prontas. A carne, a folha de louro e o vinho – tudo deve ser feito no tempo certo. Manter o prato esperando estava fora de questão. No entanto, é claro que, justamente nesta noite, de todas as noites possíveis, eles saíram e se atrasaram, e as coisas tinham que ser servidas, as coisas tinham que ser mantidas quentes; o *boeuf en daube* ficaria estragado.

    Jasper ofereceu a ela um colar de opala; Rose, um colar de ouro. Qual ficava melhor com seu vestido preto? Qual será, disse a sra. Ramsay distraída, olhando para o pescoço e os ombros (mas evitando o rosto) no espelho. E então, enquanto as crianças remexiam em suas coisas, ela olhou pela janela para algo que sempre a divertia: as gralhas tentando decidir em qual árvore pousar. Toda vez elas pareciam mudar de ideia e voar novamente, porque, pensou ela, a velha gralha, a gralha pai, o velho Joseph – como ela o chamava –, era uma ave de temperamento muito difícil. Ele era um pássaro velho infame, sem metade das penas das asas. Era como um velho sórdido com uma cartola que ela vira tocando trompa na frente de uma taverna.

    – Veja! – disse ela, rindo. Eles estavam realmente lutando. Joseph e Mary estavam lutando. De qualquer forma, todos eles voaram de novo, e o ar foi impulsionado para o lado por suas asas negras e cortado em formas primorosas de cimitarra. Os movimentos das asas batendo, para fora, para fora – ela jamais poderia descrever com um grau de precisão que a agradasse – era um dos mais lindos de todos para ela. Olhe só, ela disse para Rose, esperando que Rose visse com mais clareza do que ela. Pois os filhos, muitas vezes, levam um pouco adiante as percepções de seus pais. Mas qual seria? Eles estavam com todas as bandejas de sua caixa de joias abertas. O colar de ouro, que era italiano, ou o colar de opala, que tio James trouxera da Índia; ou ela deveria usar ametistas?

– Escolham, meus queridos, escolham – disse ela, torcendo para que eles se apressassem.

Mas ela deixou que eles levassem o tempo necessário para escolher: deixou Rose, particularmente, pegar isso e aquilo, e segurar suas joias contra o vestido preto, pois essa pequena cerimônia de escolha de joias, que acontecia todas as noites, era do que Rose mais gostava, ela sabia. Ela tinha alguma razão oculta própria para dar grande importância a essa escolha do que sua mãe iria vestir. Qual seria a razão, a sra. Ramsay se perguntou, parando para deixá-la agarrar o colar que ela havia escolhido, adivinhando, em seu próprio passado, uns profundos, outros enterrados, alguns sentimentos completamente silenciosos que as pessoas tinham por suas mães na idade de Rose. Como todo sentimento que a pessoa retém para si, pensou a sra. Ramsay, esse também gerava tristeza. Era tão inadequado, o que se poderia dar em troca; e o que Rose sentia era totalmente desproporcional a qualquer coisa que ela realmente fosse. E Rose ia crescer; e Rose ia sofrer, supôs ela, com esses sentimentos profundos, e ela disse que estava pronta agora, e eles iam descer, e Jasper, sendo o cavalheiro, devia lhe dar o braço, e Rose, sendo a dama, devia levar seu lenço (ela lhe deu o lenço), e o que mais? Ah, sim, pode esfriar: um xale.

– Escolha um xale para mim – pediu ela, pois isso agradaria a Rose, que estava fadada a sofrer. – Pronto – disse ela, parando na janela do patamar –, lá estão eles de novo. Joseph tinha se estabelecido no topo de outra árvore. – Você não acha que eles se importam – disse ela a Jasper – de ter as asas quebradas?

– Por que ele queria atirar naqueles pobres coitados do Joseph e da Mary? Ele se arrastou um pouco na escada e se sentiu repreendido, mas não muito, pois ela não entendia a graça de atirar em pássaros; e eles não sentiam; e sendo sua mãe, ela vivia em outra parte do mundo, mas ele gostava das histórias dela sobre Mary e Joseph. Ela o fazia rir. Mas como ela sabia que aqueles eram Mary e Joseph? Ela achava que os mesmos pássaros vinham pousar nas mesmas árvores toda noite?, perguntou ele. Mas aqui, de repente, como todos os adultos, ela deixou de lhe dar atenção. Ela estava ouvindo um barulho no corredor.

– Eles voltaram! – exclamou ela, e imediatamente se sentiu muito mais irritada com eles do que aliviada. Então ela se perguntou, será que tinha acontecido? Ela ia descer e eles contariam, mas não. Eles não podiam contar nada a ela, com todas as pessoas por perto. Então ela devia descer e dar início ao jantar e esperar. E como uma rainha que, encontrando seus súditos reunidos no salão, olha para eles e desce para se colocar no meio deles, e reconhece suas homenagens silenciosamente, e aceita sua devoção e sua prostração diante dela (Paul não moveu um músculo, mas olhou diretamente em frente, ao passar), ela desceu, atravessou o corredor e baixou a cabeça levemente, como se aceitasse o que eles não podiam dizer: a homenagem deles à sua beleza.

Mas ela parou. Havia um cheiro de queimado. Será que deixaram o *boeuf en daube* no fogo por tempo demais?, perguntou-se ela, Deus queira que não! Quando o grande clangor do gongo anunciou solenemente, com autoridade, que todos aqueles que estavam espalhados, nos sótãos, nos quartos, em pequenos poleiros próprios, lendo, escrevendo, terminando de escovar os cabelos ou amarrando seus vestidos, deveriam deixar tudo isso, as pequenas bugigangas em seus lavatórios e penteadeiras, os romances nas mesinhas de cabeceira e os diários que eram tão íntimos, e se reunir na sala de jantar.

17

Mas o que eu fiz com a minha vida?, a sra. Ramsay pensava, tomando seu lugar à cabeceira da mesa e olhando todos os pratos formarem círculos brancos sobre a toalha. – William, sente-se ao meu lado – pediu ela. – Lily – disse ela, cansada –, ali. – Paul Rayley e Minta Doyle, eles tinham aquilo; ela, apenas isto: uma mesa infinitamente longa e pratos e talheres. Na outra cabeceira, estava sentado seu marido, de súbito com a testa franzida. Por quê? Ela não sabia. Não se importava. Não conseguia entender como algum dia conseguira sentir qualquer emoção ou afeto por ele. Ela tinha uma sensação de ter passado por tudo, de ter atravessado tudo, saído de tudo, enquanto servia a sopa, como se houvesse um redemoinho ali, e pudesse estar dentro dele, ou fora dele; e ela estava fora dele. Tudo chegou a um fim, pensava ela, enquanto entravam um depois do outro. Charles Tansley. – Sente-se lá, por favor – disse ela. Augustus Carmichael... e se sentaram. E enquanto isso ela esperava, passiva, que alguém lhe respondesse, que algo acontecesse. Mas isso não é coisa – pensava ela, servindo conchas de sopa – que se diga.

Erguendo as sobrancelhas para a discrepância – era isso que ela estava sentindo, era isso o que ela estava fazendo –, servindo a sopa, a sra. Ramsay se sentia, cada vez com mais força, do lado de fora daquele redemoinho. Ou sentia como se uma sombra tivesse caído e, tendo as cores roubadas, ela enxergasse as coisas de verdade. O salão (ela olhou ao seu redor) estava em péssimo estado. Não havia beleza em lugar algum. Ela evitava olhar o sr. Tansley. Nada parecia ter se integrado. Todos estavam sentados distantes. E o esforço todo de integrar e gerar recaía sobre ela. De novo, ela sentia – um fato sem nada de hostil – a esterilidade dos homens; afinal, se ela não fizesse aquilo, ninguém faria. Assim, dando em si mesma a sacudidela que se dá a um relógio travado, a velha veia familiar voltou a pulsar, como o relógio tiquetaqueia – um, dois, três, um, dois, três. E assim por diante, e assim por diante, ela repetia, ouvindo, protegendo e adotando o pulsar ainda fraco, como alguém protegeria uma chama fraca com um jornal. É assim que é, concluiu ela, inclinando-se de leve, dirigindo-se em silêncio na direção de William Bankes, pobre homem!, que não tinha esposa, nem filhos e jantava sozinho em seus aposentos todas as noites, exceto por aquela; então, com pena dele, a sra. Ramsay – a vida já forte o suficiente para voltar a lhe dar suporte – deu início a toda a sua função, como um marinheiro vê o vento encher sua vela e, não sem certo cansaço, mal querendo sair, e pensa que, caso o navio tivesse afundado, ele teria girado, girado, girado, e encontrado o descanso no fundo do oceano.

– Encontrou suas cartas? Mandei guardar no vestíbulo para você – disse ela a William Bankes.

Lily Briscoe observava a sra. Ramsay se impelir para dentro daquela estranha terra de ninguém onde seguir as pessoas é impossível – e, ainda assim, a partida inflige tamanho arrepio nos que observam que eles sempre tentam, no mínimo, acompanhá-los com os olhos, do mesmo modo como se segue um navio desaparecendo até que as velas tenham sumido sob o horizonte.

Como ela parece velha, como parece desgastada, pensou Lily, e tão distante. Mas, então, quando se voltou para William Bankes, sorrindo, foi como se o navio tivesse se virado e o sol tivesse atingido as velas de novo, e Lily pensou, achando meio divertido, por estar aliviada, por que a sra. Ramsay tinha pena dele? Pois essa foi a impressão que ela passou ao lhe avisar que as cartas estavam no vestíbulo. Pobre William Bankes, ela parecia estar dizendo – como se seu próprio cansaço fosse em parte por ter pena das pessoas –, e a vida nela, sua vontade de viver de novo, viesse de uma faísca de compaixão. E não era verdade, pensou Lily; era um daqueles erros de julgamento dela que pareciam ser instintivos e surgir de alguma necessidade dela própria, mais do que de outras pessoas. Não faz sentido ter pena dele. Ele tem seu trabalho, Lily disse para si mesma. Ela se lembrou, de súbito, como se tivesse encontrado um tesouro, que ela tinha seu trabalho. Num lampejo, ela enxergou sua tela e pensou, Sim, vou colocar a árvore mais para o meio; assim eu consigo evitar aquele ponto esquisito. É isso que eu preciso fazer. É isso que vinha me desorientando. Lily pegou o saleiro e o soltou de novo sobre uma estampa de flores na toalha da mesa, como que para servir de lembrete para mover a árvore.

– É estranho que raramente se receba qualquer coisa que valha a pena pelo correio, mas ainda assim a gente sempre queira ver as cartas – disse o sr. Bankes.

Que monte de bobagens estão falando, pensou Charles Tansley, baixando a colher precisamente no centro do prato que ele tinha deixado limpo, depois de ter comido tudo. Lily (que estava sentada na frente de Charles, ele de costas para a janela, bem no meio da paisagem) achou que ele estava determinado a assegurar suas refeições. Tudo nele tinha aquela rigidez escassa, aquela antipatia nua. Mas, ainda assim, o fato permanecia: era impossível não gostar de uma pessoa ao se olhar direto para ela. Lily gostava de seus olhos; eram azuis, profundos, assustadores.

– Escreve muitas cartas, sr. Tansley? – perguntou a sra. Ramsay, com pena dele também, Lily supôs; pois isso era verdade no caso da sra. Ramsay, ela sempre tinha pena dos homens, como se lhes faltasse algo; de mulheres, nunca, como se elas tivessem algo. Ele escrevia para a mãe; fora disso, ele achava que não escrevia mais que uma carta por mês, respondeu ele, curto.

Pois ele não ia falar esse tipo de bobagem que essas mulheres queriam que ele falasse. Não ia deixar que essas mulheres tolas fossem condescendentes com ele. Ele tinha ficado lendo em seu quarto, e depois desceu e tudo lhe parecia tolo, superficial, frívolo. Por que elas se arrumavam? Ele tinha descido usando suas roupas comuns. Ele não tinha nenhuma roupa de missa. "Raramente se recebe qualquer coisa que valha a pena pelo correio", esse era o tipo de coisa que estavam sempre falando. Mulheres faziam homens dizer esse tipo de coisa. Sim, era bem verdade, pensou ele. Do começo ao fim do ano, nunca recebiam nada que valesse a pena. Não faziam nada, só falar, falar, falar, comer, comer, comer. Era culpa das mulheres. As mulheres tornavam a civilização impossível, com todo o seu "charme", toda a sua tolice.

– Não há como ir ao Farol amanhã, sra. Ramsay – disse ele, se impondo. Ele gostava dela; admirava-a; ele ainda pensava no homem consertando o esgoto, erguendo os olhos para ela; mas sentia a necessidade de se impor.

Ele era de fato, pensou Lily Briscoe, apesar dos olhos, mas por outro lado, observe o nariz, as mãos, o ser humano menos atraente que ela já tinha conhecido. Então por que ela se importava com o que ele dizia? Mulheres não sabem escrever, não sabem pintar – de que importava, vindo dele, já que claramente não era verdade para ele, mas por algum motivo o ajudava, e só por esse motivo ele dissera? Por que o ser de Lily inteiro se dobrava, como um milharal sob o vento, e se erguia de novo da degradação, mas só com um esforço grande e bastante doloroso? Ela precisava fazer esse esforço mais uma vez. Há o raminho de flores na toalha; há minha pintura; devo mover a árvore para o centro; isso importa, nada mais. Será que ela não conseguiria se segurar firmemente a isso, perguntou-se ela, sem perder a paciência, sem discutir; e se ela quisesse ter uma vingança, não poderia só rir dele?

— Ah, sr. Tansley — disse ela — por favor, me leve ao Farol. Eu gostaria tanto.

Ele conseguia ver que ela estava mentindo. Ela falava algo que não sentia só para irritá-lo, por algum motivo. Estava rindo dele. Ele estava com sua calça velha de flanela. Não tinha outra. Ele se sentia muito rústico, isolado e solitário. Sabia que ela estava tentando fazer troça dele por algum motivo; ela não queria ir ao Farol com ele; ela o desprezava; assim como Prue Ramsay; assim como todos eles. Mas ele não ia ser feito de tolo por mulheres, por isso se virou deliberadamente na cadeira e olhou pela janela, e disse, num movimento brusco, de um jeito bastante grosseiro, que o clima estaria feio demais amanhã. Ela ia enjoar.

Era irritante que ela o tivesse levado a falar daquela forma, com a sra. Ramsay ouvindo. Se ele pudesse escolher ficaria sozinho no quarto, trabalhando em meio a seus livros, pensou ele. Era lá que se sentia em paz. E ele nunca ficou devendo um centavo a ninguém; desde os quinze anos de idade, ele nunca custou um centavo ao pai; ele ajudava em casa com o que ganhava; estava pagando a educação da irmã. Ainda assim, ele queria saber como responder à srta. Briscoe de forma adequada; queria não ter dito tudo de uma vez só daquela forma. "Você ia enjoar." Ele queria poder pensar em algo para dizer à sra. Ramsay, algo que mostraria que ele não era só um pedante. Isso era o que todos pensavam dele. Ele se voltou para ela.

Mas a. sra. Ramsay estava contando a William Bankes sobre a vida de pessoas de que ele nunca ouviu falar.
– Sim, pode levar – ela disse rápido, interrompendo o que dizia a William Bankes para falar com a empregada. – Deve fazer quinze... Não, vinte anos... Desde a última vez que a vi – disse ela, virando de volta para ele, como se não pudesse perder um momento da conversa, pois estava absorta pelo que estavam dizendo. Então ele teve notícias dela justo esta tarde! E Carrie ainda vivia em Marlow, e tudo continuava igual? Ah, ela se lembrava como se fosse ontem... no rio, sentindo aquilo como se fosse ontem... Seguindo pelo rio, sentindo frio. Mas se os Manning faziam um plano, eles iam até o fim. Ela nunca se esqueceria de Herbert, na margem do rio, matando uma vespa com uma colher de chá! E eles continuavam lá, a sra. Ramsay falou, entrando num devaneio, deslizando como um fantasma entre as cadeiras e mesas daquela sala de estar às margens do Tâmisa onde ela sentira tanto, mas tanto, frio, vinte anos atrás; mas agora ela ia como um fantasma em meio a eles; e ela ficou fascinada, como se, embora ela estivesse mudada, aquele dia em particular, que agora tinha se tornado calmo e belo, tivesse permanecido ali, todos aqueles anos. A própria Carrie tinha escrito para ele?, perguntou ela.
– Ela mesma. Diz que estão montando um novo salão de jogos – disse ele. Não! Não! Isso estava fora de cogitação. Montar um novo salão de jogos! Parecia impossível para ela.
O sr. Bankes não conseguia ver que havia algo de muito estranho naquilo. Eles estavam muito bem de dinheiro agora. Será que ele deveria dizer a Carrie que a sra. Ramsay mandava lembranças?
– Ah – disse a sra. Ramsay com um pequeno sobressalto. – Não – acrescentou ela, refletindo que não conhecia essa Carrie que montava um novo salão de jogos. Mas que estranho, repetiu ela, para a diversão do sr. Bankes, que eles ainda estivessem por lá. Pois era extraordinário pensar que eles tinham

sido capazes de seguir vivendo todos aqueles anos quando durante todo esse tempo ela não pensara neles mais do que uma vez. Como sua própria vida foi agitada, durante esses mesmos anos. No entanto, talvez Carrie Manning tampouco tivesse pensado nela. A ideia era estranha e desagradável.
— As pessoas não demoram a se afastar — o sr. Bankes disse, sentindo, no entanto, uma certa satisfação enquanto pensava que, afinal de contas, ele conhecia tanto os Mannings quanto os Ramsays. Ele não se afastara, pensou, baixando a colher e limpando os lábios sobre a barba meticulosamente recém-aparada. Mas talvez ele fosse muito diferente nisso, pensou; ele nunca se deixava prender a um só lugar. Tinha amigos em todos os círculos... A sra. Ramsay teve que parar um instante para dizer algo à empregada sobre manter a comida quente. Era por isso que ele preferia jantar sozinho. Todas essas interrupções o irritavam. Bem, pensou William Bankes — mantendo um comportamento de requintada cortesia e apenas abrindo os dedos da mão esquerda na toalha, como um mecânico que num momento de pausa examina uma ferramenta belamente polida e pronta para o uso —, esses são os sacrifícios que nossos amigos exigem. A sra. Ramsay se magoaria se ele recusasse o convite. Mas, para ele, não valia a pena. Olhando para a própria mão, ele pensou que, se estivesse sozinho, o jantar já estaria quase terminado agora; estaria livre para trabalhar. Sim, pensou, é um desperdício terrível de tempo. As crianças continuavam aparecendo. "Queria que algum de vocês fosse ao quarto do Roger", a sra. Ramsay estava dizendo. Como aquilo tudo era banal, como era chato, pensou ele, comparado com a outra coisa — o trabalho. Ali estava ele sentado, tamborilando os dedos na toalha quando poderia estar... e ele vislumbrou rápido: seu trabalho. Que desperdício de tempo era tudo aquilo, de verdade! Ainda assim, pensou ele, ela é uma de minhas amigas mais antigas. A meu modo, estou me dedicando a ela. Mas agora,

neste momento, a presença dela não significava absolutamente nada para ele: a beleza dela não significava nada para ele; ela sentada com o garotinho à janela – nada, nada. Ele desejava apenas ficar sozinho e pegar aquele livro. Ele se sentia desconfortável; sentia-se traiçoeiro por estar sentado ao lado dela e não sentir nada por ela. A verdade era que ele não gostava da vida em família. Era nesse tipo de situação que se perguntava: Para que eu vivo? Por que, se perguntava, alguém aceitaria todas essas dores para que a espécie humana seguisse em frente? É tão desejável assim? Somos atraentes, como espécie? Não muito, pensou ele, olhando para aqueles garotos meio desmazelados. A sua favorita, Cam, estava na cama, imaginava ele. Perguntas tolas, perguntas vãs, perguntas que nunca faria se estivesse ocupado. Seria a vida humana isso? Seria a vida humana aquilo? Nunca houve tempo para pensar nisso. Mas ali estava ele se fazendo esse tipo de pergunta, porque a sra. Ramsay estava dando ordens a empregados, e também porque lhe havia ocorrido – pensando em como a sra. Ramsay estava surpresa que Carrie Manning ainda existisse – que amizades, mesmo as melhores, são coisas frágeis. As pessoas se afastam. Ele se repreendeu de novo. Estava sentado ao lado da sra. Ramsay e não tinha absolutamente nada para lhe dizer.

– Sinto muito – disse a sra. Ramsay, finalmente se virando para ele. Ele se sentia rígido e árido, como um par de botas encharcadas que voltaram a secar, de forma que mal se consegue forçar os pés para dentro. Ainda assim, ele precisava forçar os pés para dentro. Ele devia se esforçar para falar. A não ser que tomasse muito cuidado, ela descobriria a traição dele; que ele não se importava nem um pouco com ela, e isso não seria nada agradável, pensou ele. Então ele inclinou a cabeça com cortesia na direção dela.

– Como você deve detestar jantar nesta desordem toda – disse ela, usando, como fazia quando se distraía, de seus modos mais civilizados. Quando há um bate-boca em que ninguém se entende numa reunião, o presidente, para conseguir unidade, sugere que todos falem em francês. Talvez o francês não seja lá muito bom; o francês pode não conter as palavras que expressam o pensamento do orador; ainda assim, falar francês impõe alguma ordem, alguma uniformidade. Respondendo a ela no mesmo idioma, o sr. Bankes disse: "Não, de forma alguma", e até o sr. Tansley – que não sabia falar essa língua, nem mesmo quando lhe falavam em monossílabos – suspeitou imediatamente da insinceridade. Eles de fato falavam futilidades, pensou ele, os Ramsay; e mergulhou nesse novo exemplo com alegria, fazendo uma observação mental que, qualquer dia desses, leria em voz alta para um ou dois amigos. Então, em uma circunstância em que pudesse falar o que quisesse, ele descreveria sarcasticamente "sua estadia com os Ramsay" e as bobagens que falavam. Valeria a pena fazer isso uma vez, ele diria; mas não mais do que isso. As mulheres eram tão tediosas, diria ele. É claro que Ramsay se arruinara ao ter se casado com uma mulher linda e ter tido oito filhos. Seria algo que se delinearia dessa forma; mas então, naquele momento, sentado preso ali com um assento vazio ao seu lado, nada havia se delineado de forma alguma. Tudo eram estilhaços e fragmentos. Ele se sentia desconfortável – até fisicamente – ao extremo. Queria que alguém lhe desse a oportunidade de se impor. Ele queria isso com tanta urgência que se agitava na cadeira, olhava para uma pessoa, depois para aquela, tentava entrar na conversa delas, abria a boca e fechava de novo. Estavam falando da indústria pesqueira. Por que ninguém pediu sua opinião? O que eles sabiam da indústria pesqueira?

    Lily Briscoe sabia de tudo isso. Sentada de frente para ele, ela conseguia ver, como num raio-X, as costelas e o fêmur do desejo que o rapaz sentia de impressionar destacando-se em negro dentro da carne – aquela bruma fina que a convenção pousara sobre seu desejo fervilhante de entrar na conversa.

Mas, pensou ela, apertando seus olhinhos puxados e lembrando como ele desdenhava das mulheres, "não sabem pintar, não sabem escrever", por que eu deveria ajudá-lo a se satisfazer?

Há um código de conduta, ela sabia, cujo artigo sétimo (poderia ser) determina que, em ocasiões desse tipo, recai sobre a mulher – independentemente de qual seja a sua ocupação – acudir o rapaz sentado à sua frente, para que ele possa expor e satisfazer os fêmures e as costelas de sua vaidade, de seu desejo urgente de se impor; como de fato eles – refletiu ela, em sua justiça de solteirona – é que devem nos ajudar, se houver um incêndio no metrô. Então, pensou ela, eu com certeza espero que o sr. Tansley me resgate. Mas como seria se nenhum de nós cumprisse com qualquer um desses papéis? Então ela ficou sentada ali sorrindo.

– Você não está planejando ir ao Farol, está, Lily? – perguntou a sra. Ramsay. – Lembre-se do pobre sr. Langley; ele havia dado dúzias de voltas ao mundo, mas me disse que nunca sofreu tanto como quando meu marido o levou para lá. Você é um bom marinheiro, sr. Tansley? – perguntou ela.

O sr. Tansley ergueu um martelo: balançou-o alto no ar; mas se dando conta, ao baixá-lo, de que não poderia esmagar aquela borboleta com uma ferramenta daquelas, disse apenas que nunca se enjoara na vida. Mas nessa última frase ia – compactada como pólvora – a informação de que seu avô era um pescador; seu pai, um farmacêutico; que havia subido na vida sem ajuda de ninguém; que ele se orgulhava disso; que ele era Charles Tansley – um fato de que ninguém ali parecia se dar conta; mas, mais dia, menos dia, todas as pessoas do mundo saberiam. Ele tinha uma carranca na sua proa. Quase sentia pena dessa gente inculta, que um dia desses explodiria céu adentro – como fardos de lã e caixas de maçãs – com a pólvora que havia dentro dele.

– O senhor me levaria, sr. Tansley? – disse Lily rapidamente, com gentileza; afinal, se a sra. Ramsay dissesse a ela, como de fato disse, "Minha querida, estou me afogando em oceanos de fogo. Se você não aplacar minha angústia desse momento com um bálsamo, dizendo algo gentil a esse rapaz aqui, minha vida vai naufragar como se eu batesse num rochedo... Na verdade, já ouço o rilhar e o roçar nesse mesmo instante. Meus nervos estão tensos como cordas de violino. Mais um toque e eles vão se romper". Então, quando a sra. Ramsay disse isso, do modo como o brilho em seu olhar disse, pela centésima quinquagésima vez, Lily Briscoe precisou renunciar ao experimento – o que acontece se você não for gentil com aquele rapaz ali? – e ser gentil.

Julgando corretamente a virada do humor dela – que Lily agora estava sendo amistosa –, ele satisfez ao seu egocentrismo, e disse a ela como foi arremessado de um barco quando bebê; como o pai costumava pendurá-lo na água com um gancho e que foi assim que ele aprendeu a nadar. Um de seus tios era faroleiro numa penha ou outra na costa escocesa, disse ele. Ele tinha estado lá com o tio durante uma tempestade. Isso foi dito em voz alta e com pausa. Eles foram obrigados a ouvi-lo quando ele disse que tinha estado num farol com seu tio durante uma tempestade. Ah, Lily Briscoe pensou, enquanto a conversa tomava esse caminho auspicioso, e ela sentia a gratidão da sra. Ramsay (pois a própria sra. Ramsay estava, então, livre por um instante para falar), ah, pensou ela, mas qual foi o preço que eu tive de pagar para fazer isso por você? Lily não havia sido sincera.

Ela tinha feito seu truque de costume – fora gentil. Ela nunca o conheceria. Ele nunca a conheceria. Relações humanas eram todas assim, pensou ela, e as piores (não fosse pelo sr. Bankes) eram entre homens e mulheres. Era inevitável que fossem extremamente insinceras, pensou ela. Então seu olhar recaiu no saleiro que colocara ali como lembrete, e se lembrou que na manhã seguinte moveria a árvore mais na direção do meio, e seu humor melhorou tanto com a ideia de pintar no dia seguinte que gargalhou do que o sr. Tansley estava falando. Que ele falasse a noite inteira, se quisesse.

— Mas quanto tempo deixam os homens num farol? — ela perguntou. Ele respondeu. Era incrivelmente bem-informado. E como estava grato, e como ele gostava dela e começava a se divertir, então, pensou a sr. Ramsay, ela poderia voltar àquela terra dos sonhos, àquele lugar irreal, mas fascinante, a sala de estar dos Manning vinte anos antes; onde as pessoas se moviam sem pressa ou ansiedade, pois não havia futuro com que se preocupar. Ela sabia o que acontecera com eles e consigo mesma. Era como reler um bom livro, pois ela sabia o final da história, já que acontecera vinte anos antes; e a vida — que escorria até mesmo desta mesa de jantar, em cascatas, Deus sabe para onde — estava lá selada e pousada, como um lago, plácido entre suas margens. Ele disse que montaram um salão de jogos, seria possível? Será que William seguiria falando dos Manning? Ela gostaria que sim. Mas não, por algum motivo, ele não tinha mais vontade. Ela tentou. Ele não correspondeu. Ela não poderia forçá-lo. Ela estava decepcionada.

— Essas crianças são uma vergonha — disse ela, suspirando. Ele disse algo sobre a pontualidade ser uma das virtudes menores que só conquistamos mais tarde na vida. — Isso quando conquistamos — disse a sra. Ramsay apenas para preencher o vazio, pensando em como William estava se tornando um solteirão. Ciente de sua própria traição, ciente do desejo da sra. Ramsay de falar de algo mais íntimo, ainda que ele não tivesse vontade para isso no momento, ele sentiu o tédio da vida envolvê-lo, sentado ali, esperando. Talvez os outros estivessem dizendo algo interessante? Do que falavam?

Que a temporada de pesca estava ruim; que os homens emigravam. Falavam de salários e desemprego. O rapaz falava mal do governo. William Bankes — pensando no alívio que era entrar nesse tipo de assunto quando a vida particular estava tão desagradável — ouviu ele falar algo sobre "uma das ações mais escandalosas do governo atual". Lily ouvia; a sra. Ramsay ouvia; todos estavam ouvindo. Mas já entediada, Lily sentia que faltava algo; o sr. Bankes sentia que faltava algo. Puxando o xale ao redor de si, a sra. Ramsay sentia que faltava algo. Todos eles, inclinando-se para ouvir, pensavam: "Que, pelo amor de Deus, o interior de minha mente não seja exposto", pois cada um deles pensava, "Os outros estão sentindo isso. Eles estão ultrajados e indignados com o governo e a situação dos pescadores. Enquanto eu não sinto absolutamente nada". Mas pode ser, pensou o sr. Bankes, enquanto olhava para o sr. Tansley, que este seja o homem. Sempre se espera pelo homem. Sempre havia a possibilidade. A qualquer momento, o líder poderia surgir; o homem genial, na política assim como em todas as outras áreas. Era provável que ele parecesse extremamente desagradável para nós, velhotes antiquados, pensou o sr. Bankes, esforçando-se ao máximo para relevar, pois ele sabia, com alguma curiosa sensação física, como se os nervos se eriçassem na coluna, que ele sentia ciúmes: em parte por si mesmo, em maior parte pelo trabalho do sr. Tansley, sua visão, sua ciência; e portanto, ele não estava sendo aberto ou justo de fato, pois o sr. Tansley parecia estar dizendo: vocês desperdiçaram suas vidas. Todos vocês estavam errados. Pobres dinossauros, estão irremediavelmente atrasados no tempo. Ele parecia tão seguro, esse rapaz; e não tinha boas maneiras. Mas o sr. Bankes se obrigou a observar, ele tinha coragem; tinha habilidade; estava bem-informado ao extremo. É provável, pensou o sr. Bankes, enquanto o sr. Tansley xingava o governo, que haja muita verdade no que ele diz.

– Então me diga... – pediu ele. Então eles discutiram sobre política, e Lily olhou para a folha na toalha da mesa; e a sra. Ramsay, deixando o debate inteiramente nas mãos dos dois homens, se perguntou por que ela se sentia tão entediada com a conversa e desejou, olhando para o marido do outro lado da mesa, que ele dissesse algo. Uma palavra, ela disse para si mesma. Pois, se ele dissesse alguma coisa, faria toda a diferença. Ele ia ao cerne das questões. Ele se importava com os pescadores e seus salários. Ele não conseguia dormir pensando neles. Era totalmente diferente quando ele falava; o ouvinte não sentia, então, pelo amor de Deus que não notem o quão pouco eu me importo, porque essa pessoa se importava. Então, se dando conta de que ela esperava que ele falasse porque o admirava tanto, ela sentiu como se alguém houvesse elogiado seu marido e seu casamento para ela, e começou a reluzir por todos os lados, sem perceber que tinha sido ela mesma quem elogiara. Ela olhou para ele, buscando encontrar aquilo em seu rosto; ele estaria com uma aparência magnífica... Mas nada! Ele torcia o rosto como um parafuso, fazia carrancas e franzia a testa, rubro de raiva. Por que ele estaria fazendo isso?, perguntou-se ela. Qual poderia ser o problema? Aquele pobre velho Augustus havia pedido outro prato de sopa, era só isso. Era impensável, detestável (assim ele sinalizava para ela do seu lado da mesa) que Augustus fosse começar a tomar outro prato de sopa. Ele detestava que as pessoas comessem depois que ele terminava. Ela via a raiva dele avançar como uma matilha em seus olhos, nas sobrancelhas, e ela sabia que naquele momento algo violento explodiria, e então, graças ao bom Deus!, ela o viu se segurar e frear a própria roda, e seu corpo todo pareceu emitir faíscas, mas não palavras. Ele ficou sentado ali, de cara fechada. Mais tarde ele ressaltaria que não havia dito nada. Que ela lhe desse crédito por isso! Mas por que, afinal de contas, o pobre Augustus não poderia pedir mais sopa? Ele mal havia tocado o braço de Ellen, dizendo:

— Ellen, por favor, outro prato de sopa. — E aí o sr. Ramsay fechou a cara daquela forma.

E por que não?, perguntou a sra. Ramsay. Certamente eles podiam deixar Augustus tomar sua sopa se quisesse. Ele odiava as pessoas chafurdando em comida, o sr. Ramsay franziu a testa para ela. Ele odiava tudo se arrastando e se estendendo por

horas daquele jeito. Mas ele tinha se controlado, ele a faria notar, por mais nojenta que fosse a visão. Mas por que mostrar tão explicitamente, perguntou a sra. Ramsay (eles se olhavam de uma ponta da mesa à outra, trocando essas perguntas e respostas de um lado a outro, cada um sabendo o que o outro sentia com exatidão). Todo mundo estava vendo, a sra. Ramsay pensava. Lá estava Rose encarando o pai, lá estava Roger encarando o pai; ambos explodiriam em espasmos de gargalhadas dali a um instante, ela sabia, e então ela disse no mesmo instante (de fato, estava na hora):
– Acendam as velas. – E eles saltaram no mesmo instante e foram acendê-las meio sem jeito no aparador.

Por que ele nunca conseguia mascarar seus sentimentos?, a sra. Ramsay se perguntava, e se perguntava se Augustus Carmichael havia notado. Talvez sim; talvez não. Ela não conseguia evitar um certo respeito pela compostura dele ao se sentar ali, tomando a sopa. Se ele queria sopa, ele pedia sopa. Se riam dele ou ficavam bravos com ele, o sujeito era o mesmo. Ele não gostava dela, ela sabia; mas em parte por isso mesmo ela o respeitava, e olhando-o, tomando sopa, muito grande e calmo sob a luz débil, e monumental, e contemplativo, ela se perguntava o que ele sentia então, e por que estava sempre contente e parecia sempre digno; e ela pensou em como ele era devotado a Andrew, e o chamava ao seu quarto para, Andrew dizia, "mostrar uns pertences". E aí ficava o dia inteiro espraiado pelo gramado – refletindo sobre sua poesia, presumivelmente – até começar a se parecer com um gato olhando passarinhos; juntava as patinhas quando encontrava a palavra, e seu marido dizia: "Pobre velho Augustus... É um poeta de verdade", o que era um elogio e tanto vindo do marido dela.

Agora, oito velas estavam postas sobre a mesa, e depois do primeiro bruxulear, as chamas se endireitaram e deram visibilidade à mesa inteira, e a uma travessa amarela e roxa de frutas no centro. O que ela fez com aquilo, perguntou-se a sra.

Ramsay, pois o arranjo que Rose fez com peras e uvas, com as conchas róseas raiadas e as bananas, fazia pensar em um troféu resgatado do fundo do oceano, do banquete de Netuno, do cacho de folhas de parreira sobre o ombro de Baco (em algum retrato), entre as peles de leopardo e tochas tremeluzindo vermelhos e dourados... Trazida à luz assim de súbito, a travessa parecia grande e profunda – era como um mundo em que você podia pegar um cajado e subir colinas, pensou ela, e descer vales e, para seu prazer (pois aquilo causou simpatia mútua momentânea entre eles), ela viu que Augustus também deleitava os olhos na mesma travessa de frutas, mergulhou, colheu uma flor ali, uma pétala aqui, e voltou, depois do banquete, para sua colmeia. Essa era a forma dele de olhar, diferente da dela. Mas olhar juntos os uniu.

Agora todas as velas estavam acesas, e os rostos nos dois lados da mesa foram aproximados pela luz das chamas e compunham, como não tinha ocorrido no crepúsculo, um grupo ao redor de uma mesa, pois a noite então tinha sido fechada para o lado de fora por vidraças que, longe de transparecer qualquer imagem precisa da paisagem, ondulavam tudo de modo tão estranho que ali, dentro da sala, parecia haver ordem e terra seca; lá fora, um reflexo em que as coisas ondulavam e desapareciam, aquosas.

Uma mudança ocorreu em todos eles de uma só vez, como se isso tivesse acontecido de fato, e todos eles estivessem cientes de formar um grupo, juntos numa caverna, numa ilha; tivessem uma causa comum contra aquela fluidez do lado de fora. A sra. Ramsay, que estivera apreensiva esperando Paul e Minta descerem – e incapaz, ela sentia, de se concentrar nas coisas –, agora viu sua apreensão tornar-se expectativa. Pois agora eles tinham que vir, e Lily Briscoe, tentando analisar a causa da súbita alegria, comparou-a com aquele momento no gramado de tênis, em que a solidez subitamente desapareceu, e imensos espaços se colocaram entre eles; e agora o mesmo efeito era obtido pelas muitas velas no recinto de pouca mobília, e as janelas sem cortinas, e o aspecto brilhante quase de máscaras nos rostos sob a luz de velas. Algum peso tinha sido tirado deles; qualquer coisa poderia acontecer, ela sentia. Eles tinham que descer agora, a sra. Ramsay pensou, olhando para a porta, e naquele instante, uma empregada carregando um grande prato, Minta Doyle e Paul Rayley entraram juntos. Os dois estavam terrivelmente atrasados; horrivelmente atrasados, Minta disse, enquanto tomavam seus lugares em lados diferentes da mesa.

– Perdi meu broche... o broche da minha avó – disse Minta, com um tom de lamento, e timidez em seus grandes olhos marrons, olhando para baixo, olhando para cima, enquanto se sentava ao lado do sr. Ramsay, o que despertou o cavalheirismo dele, que zombou dela.

Como ela pôde ser tão pateta, perguntou ele, de ir andar nos rochedos usando joias?

Ela não estava longe de se sentir aterrorizada por ele: ele era tão amedrontadoramente inteligente, e na primeira noite, quando ela sentou-se ao lado dele, e ele falou de George Eliot, ela se assustou muito, pois tinha deixado o terceiro volume de *Middlemarch* no trem, e ela nunca soube o final da história; mas, no fim das contas, ela se saiu com perfeição, fazendo-se passar por ainda mais ignorante do que era, porque ele gostava de lhe dizer que era uma tola. E então, naquela noite, o riso dele imediatamente evitou que ela continuasse assustada. Além disso, ela sabia, assim que entrou na sala, que aquele milagre tinha acontecido; ela estava envolta numa névoa dourada. Às vezes isso acontecia; às vezes, não. Ela nunca sabia como aquilo vinha ou por que ia embora, nem mesmo se ela tinha aquela névoa até entrar na sala, e então ela descobria no mesmo instante, pela forma como algum homem a olhava. Sim, naquela noite ela tinha aquilo, um resplendor tremendo;

ela sabia disso pela forma como o sr. Ramsay disse para que ela não fosse tola. Ela se sentou ao lado dele, sorrindo. Deve ter acontecido, então, pensou a sra. Ramsay; eles noivaram. E por um momento, ela sentiu o que esperava nunca mais sentir: ciúmes. Pois ele, seu marido, percebeu também o brilho de Minta; ele gostava dessas garotas, essas garotas dourado-avermelhadas, com algo esvoaçante, algo um pouco selvagem e leviano, que não "penteavam o cabelo para trás", não eram, como ela havia dito da pobre Lily Briscoe, "acanhadas". Havia alguma qualidade que ela própria não tinha, um brilho, uma opulência, que o atraía, divertia, fazia com que garotas como Minta fossem suas favoritas. Elas poderiam cortar seu cabelo, trançar pulseiras de relógios para ele ou interrompê-lo enquanto trabalhava, chamando-o (a sra. Ramsay podia ouvir) "Venha logo, sr. Ramsay; já é nossa vez de ganhar deles", e ele saía para jogar tênis.

Mas na verdade ela não era ciumenta: só de vez em quando, quando ela se obrigava a se olhar no espelho, um pouco ressentida por ter envelhecido, talvez, por sua própria culpa. (A conta da estufa e todo o resto.) Ela era grata a eles por rirem dele. ("Quantos cachimbos você fumou hoje, sr. Ramsay?" e assim por diante), até ele parecer um rapaz; um homem muito atraente a mulheres, sem o fardo, o peso da grandiosidade de seus livros e as misérias do mundo e sua fama ou fracasso, mas de novo da forma como ela o conheceu, magro, mas imponente; ajudando-a a sair de um barco, ela se lembrava; com modos adoráveis, bem assim (ela o olhava e ele parecia surpreendentemente jovem, fazendo troça de Minta). Já ela, dizia, "Pode colocar ali", ajudando a garota suíça a pousar com gentileza na sua frente a imensa panela marrom em que estava o *boeuf en daube*, ela preferia seus tolos. Paul tinha que se sentar perto dela. A sra. Ramsay guardara um lugar para ele. De fato, ela às vezes achava que preferia os tolos. Eles não incomodavam os outros com dissertações. Quanto estavam perdendo, afinal de contas, esses homens muito inteligentes! Como ficavam ressequidos. Havia algo, ela pensou enquanto ele se sentava, muito charmoso em Paul. Seus modos com ela eram encantadores, e o nariz afilado e os olhos azuis brilhantes. Era tão atencioso. Será que ele contaria a ela – agora que todos tinham voltado a falar – o que havia acontecido?

– Nós voltamos para procurar o broche de Minta – disse ele, sentando-se ao lado dela. "Nós", aquilo já bastava. Ela soube pelo esforço, pela voz subindo de tom para passar por uma palavra difícil, que era a primeira vez que ele havia dito "nós". "Nós fizemos isso, nós fizemos aquilo." Eles dirão isso ao longo de toda a vida a dois, pensou ela, e um perfume delicioso de azeitonas, azeite e caldo subiu do grande prato marrom enquanto Marthe, com um pequeno floreio, tirou a tampa. A cozinheira havia dedicado três dias àquele prato. E era preciso tomar muito cuidado – pensou a sra. Ramsay, analisando o cozido – para escolher um corte especialmente tenro para William Bankes. E ela espiou a travessa, com suas paredes brilhantes e sua confusão de marrons salgados, carnes amarelas, folhas de louro e vinho, e pensou, "Isso vai celebrar a ocasião", uma sensação estranha subindo nela, a um só tempo excêntrica e afável, de celebrar um festival, como se duas emoções fossem convocadas nela; uma profunda, afinal, o que poderia ser mais sério do que o amor de um homem por uma mulher, o que poderia ser mais imperioso, mais impressionante, levando em seu seio as sementes da morte; ao mesmo tempo, esses amantes, essas pessoas entrando na ilusão de olhos brilhantes, mereciam uma dança de zombaria ao redor deles, com decorações de grinaldas.

– É um triunfo – disse o sr. Bankes, baixando a faca por um instante. Ele tinha comido com atenção. Estava saboroso; estava tenro. Estava cozido à perfeição. Como ela tinha conseguido todos esses ingredientes em pleno campo?.

perguntou ele. Ela era uma mulher maravilhosa. Todo o amor dele, toda a sua reverência, tinham retornado; e ela sabia disso. – É uma receita francesa da minha avó – disse a sra. Ramsay, falando com aura de grande prazer na voz. É claro que era francesa. O que se faz passar por culinária na Inglaterra é uma abominação (todos concordaram). É enfiar repolho na água. É assar a carne até parecer couro. É cortar as cascas deliciosas dos vegetais. – E é nelas – disse o sr. Bankes – que toda a virtude do vegetal está. – E o desperdício – disse a sra. Ramsay. Uma família francesa inteira poderia viver com o que um cozinheiro inglês joga fora. Empolgada com a sensação de que o afeto de William por ela tinha voltado, e de que tudo estava bem de novo, e de que o suspense tinha terminado, e de que agora ela estava livre tanto para triunfar quanto para zombar, ela riu, gesticulou, até que Lily pensou, que jeito mais infantil, que comportamento despropositado, sentada ali com toda sua beleza acesa de novo, falando de cascas de legumes. Havia algo assustador nela. Era irresistível. Ela sempre conseguia o que queria, pensou Lily. Agora ela tinha conseguido mais isso; Paul e Minta, supunha-se, estavam noivos. O sr. Bankes estava jantando ali. Ela os enfeitiçara a todos, por meio de seu desejo, tão simples, tão direta; Lily contrastava aquela abundância com a sua própria pobreza de espírito, e imaginava que era parcialmente aquela crença (pois seu rosto estava aceso por inteiro, sem parecer jovem, ela parecia radiante) nessa coisa estranha e apavorante que colocava Paul Rayley, sentado a seu lado, emocionado e, ainda, distraído, absorto, silencioso. A sra. Ramsay, Lily sentia, enquanto falava de cascas de vegetais, exaltava aquilo, adorava aquilo; estendia as mãos sobre aquilo, para aquecê-los, protegê-los, e ainda assim, sendo a responsável pelos acontecimentos, de alguma forma ria, dirigia, Lily tinha a impressão, suas vítimas rumo ao altar. Aquilo chegou também a ela então – a emoção, a vibração do amor. Como ela se sentia invisível ao lado de Paul!

Ele, brilhando, queimando; ela, distante, zombeteira; ele, pronto para a aventura; ela, atracada na costa; ele, lançando-se, incauto; ela, solitária, deixada de fora, e já pronta para implorar por uma parte, caso fosse um desastre, no desastre dele, dizendo com timidez:

— Quando Minta perdeu o broche?

Ele sorriu o mais perfeito sorriso, com um véu de memória, colorido de sonhos. Ele balançou a cabeça.

— Na praia — respondeu ele. — Eu vou encontrar — continuou —, vou levantar cedo. — Por querer manter isso como um segredo para Minta, ele baixou a voz e voltou os olhos para onde ela estava, rindo, ao lado do sr. Ramsay.

Lily quis manifestar com violência e ultraje seu desejo de ajudá-lo, vislumbrando como na madrugada, na praia, ela seria a pessoa que atacaria um broche semiescondido por alguma pedra, e assim ela própria seria incluída entre marinheiros e aventureiros. Mas qual foi a resposta dele à sua oferta? Ela falou com uma emoção que raramente deixava transparecer, "Deixe eu ir com você", e ele riu. O significado da resposta podia ser sim ou não — talvez os dois. Mas não foi o que ele quis dizer com as palavras, e sim com a risada estranha que deu, como se tivesse dito, "Pode se atirar de um penhasco se quiser, eu não me importo". Ele acendeu em seu rosto todo o calor do amor, seu horror, sua crueldade, sua falta de escrúpulos. Aquilo ardeu nela, e Lily — olhando para Minta, que agia para encantar o sr. Ramsay do outro lado da mesa — estremeceu pela outra, exposta a essas presas, e se sentiu grata. Pois de qualquer forma, ela disse a si mesma, espiando de canto de olho o saleiro sobre a toalha, ela não precisaria se casar, graças a Deus, ela não precisaria passar por essa degradação. Ela estava salva daquela dissolução. Ela moveria a árvore mais para o centro.

Tal era a complexidade das coisas. Pois o que aconteceu com ela, em especial em sua estadia com os Ramsays, a levara a sentir com violência duas coisas opostas ao mesmo tempo; é isso que você sente, foi uma; é isso que eu sinto, a outra; e então elas brigaram em sua mente, como agora. É tão lindo, tão emocionante, esse amor, que tremo à beira dele, e me ofereço, muito mais por hábito, para procurar um broche na praia; também é entre as paixões humanas a mais estúpida e mais bárbara, transformando um bom rapaz com um perfil de camafeu (o de Paul era deslumbrante) em um valentão com um pé-de-cabra (ele estava presunçoso, estava insolente) na estrada de Mile End. Ainda assim, Lily disse a si mesma, desde o princípio dos tempos, cantam-se odes ao amor; empilham-se coroas e rosas; e se alguém perguntasse, nove em cada dez pessoas diriam que não queriam nada da vida além disso – amor; ao passo que as mulheres, julgando por sua própria experiência, passariam o tempo todo sentindo "Não é isso que nós queremos; não há nada mais tedioso, pueril e desumano que isso"; ainda assim, é lindo e necessário também. Bem, e então? Bem, e então?, perguntava-se ela, de alguma forma esperando que os outros seguissem com a discussão – como se numa discussão você jogasse um dardo para cair obviamente antes do alvo, deixando que os outros o levassem adiante. Então, ela ouviu de novo o que eles diziam, caso lançassem qualquer luz em relação à questão do amor.

– E então – disse o sr. Bankes –, tem esse líquido que os ingleses chamam de café.

– Ah, café! – disse a sra. Ramsay. Mas era muito mais uma questão (ela estava completamente exaltada, Lily via, e falava com muita efusividade) de usar manteiga de qualidade e leite puro. Falando com calor e eloquência, ela descreveu a injustiça que era o sistema inglês de produção de laticínios, e em que estado se entregava leite na porta, e estava prestes a provar suas acusações, pois ela conhecia o tema, quando por todos os lados da mesa – começando com Andrew no centro, como um incêndio que vai se espalhando de um tufo de espinheiro para

outro –, os filhos começaram a rir; o marido riu; eles estavam rindo dela; ela estava cercada pelo círculo de fogo e foi forçada a colocar o elmo, desmontar sua artilharia e apenas retaliar, comentando com o sr. Bankes como a zombaria e o ridículo que a mesa fazia era um exemplo de o que se sofria ao se atacar os preconceitos do público britânico. Deliberadamente, no entanto, pois ela tinha em mente que Lily, que havia ajudado com o sr. Tansley, não fazia parte daquilo, ela a eximiu; e disse:
– Seja como for, Lily concorda comigo. – E assim a incluiu no assunto, um pouco constrangida, um pouco surpresa. (Pois ela estava pensando sobre o amor.) Nenhum dos dois fazia parte daquilo, a sra. Ramsay estivera pensando, nem Lily nem Charles Tansley. Ambos sofriam com o brilho dos outros dois. Ele, era claro, estava numa situação ruim; nenhuma mulher olharia para ele com Paul Rayley no mesmo recinto. Pobrezinho! Ainda assim, ele tinha sua dissertação, a influência de alguém sobre algo; ele tinha como se cuidar. Com Lily, era diferente. Ela se apagava sob o fulgor de Minta, ficava mais inconspícua do que nunca, em seu vestidinho cinza com seu rosto enrugado e olhinhos puxados. Tudo nela era tão pequeno. Ainda assim, pensou a sra. Ramsay, ao pedir sua ajuda (pois Lily a apoiaria no argumento de que ela não falava de laticínios mais do que seu marido falava de botas – ele falava de suas botas de hora em hora), comparando-a com Minta, entre as duas, aos quarenta anos, Lily estaria em melhor estado. Em Lily, havia uma faísca de algo; uma centelha de algo; algo dela própria de que a sra. Ramsay gostava muito, mas nenhum homem gostaria, temia ela. Era óbvio que não, a não ser que fosse um homem muito mais velho, como William Bankes. Mas ele gostava, bem, a sra. Ramsay às vezes pensava que ele gostava, desde a morte da esposa, talvez ele gostasse dela. Ele não estava "apaixonado", é claro; era um desses tantos afetos sem classificação. Ah, mas que bobagem, pensou ela; William

devia se casar com Lily. Eles têm tanto em comum. Lily gosta tanto de flores. Eles dois são frios e desligados e bastante autossuficientes. Ela tinha que dar um jeito para que os dois dessem uma longa caminhada juntos.

Tolamente, ela colocou os dois em lados opostos da mesa. Isso poderia ser remediado amanhã. Se o clima estivesse agradável, eles deveriam ir fazer um piquenique. Tudo parecia possível. Tudo parecia certo. Bem naquele momento (mas isso não poderia durar, pensou ela, dissociando-se do instante enquanto todos falavam de botas), bem naquele momento ela havia chegado à segurança; ela pairava como um falcão suspenso; como uma bandeira ela tremulava num elemento de alegria que preenchia cada nervo em seu corpo, com doçura e por completo, e não com ruído, mas solenemente, pois ela provinha de marido, filhos e amigos, pensou ela, olhando para todos eles comendo ali; todos subindo nessa quietude profunda (ela servia mais um pedacinho para William Bankes, enquanto espiava as profundezas da travessa de louça) pareciam então sem nenhum motivo em especial para permanecer ali como uma fumaça, um vapor que subia, mantendo-os unidos em segurança. Nada precisava ser dito; nada poderia ser dito. Aquilo estava ali, cercando-os de todos os lados. Fazia parte – ela sentia, servindo com cuidado um pedaço particularmente tenro para o sr. Bankes – da eternidade; como ela já sentira a respeito de algo diferente uma vez antes naquela tarde; existe uma coerência nas coisas, uma estabilidade; algo, era o que ela queria dizer, está imune à mudança e brilha (ela espiou pela janela com sua ondulação de luzes refletidas) perante aquilo que é fluido, fugaz, espectral, como um rubi; de forma que mais uma vez, naquela noite, ela teve uma sensação de paz, de descanso, como já tivera naquele dia. O que deve durar para sempre, pensou ela, deve ser feito de momentos assim. Isso permaneceria.

– Sim – ela garantiu a William Bankes –, tem bastante para todos. Andrew – disse ela –, baixe um pouco seu prato, ou eu vou derramar. (O *boeuf en daube* era um triunfo perfeito.) Aqui, ela sentiu, baixando a colher, no lugar em que você pode se mover ou ficar imóvel; pode esperar agora (todos estavam servidos) ouvindo; e pode depois, como um falcão que subitamente se lança do alto, exibir seu riso e afundar nele com facilidade, colocando seu peso inteiro no que o marido dizia, do outro lado da mesa, sobre a raiz quadrada de 1253. Esse, parecia, era o número no relógio dele.

O que tudo aquilo significava? Até hoje ela não tinha noção. Uma raiz quadrada? O que era isso? Os filhos sabiam. Ela se inclinou para eles; de raízes quadradas e cúbicas; era disso que falavam naquele momento; de Voltaire e Madame de Staël; da personalidade de Napoleão; do sistema francês de divisão de propriedade; de Lorde Rosebery; das memórias de Creevey: ela se deixou ser erguida e sustentada por esse tecido admirável da inteligência masculina, que subia e descia, ia de um lado para o outro, como barras de ferro que se entrecruzam pela extensão do tecido oscilante, sustentando o mundo, de forma que ela poderia se entregar por completo, até mesmo fechar os olhos, ou piscá-los por um instante, como uma criança deitada pisca para a miríade de camadas das folhas de uma árvore. Então ela acordou. A trama ainda estava sendo tecida. William Bankes elogiava os romances de Walter Scott no período de Waverly.

Ele lia um a cada seis meses, disse ele. E por que isso incomodaria Charles Tansley? Ele se apressou (tudo isso, a sra. Ramsay pensou, porque Prue não quer ser gentil com ele) e criticou os livros da fase de Waverly sem saber nada do assunto, absolutamente nada, a sra. Ramsay pensou, observando-o em vez de ouvir o que ele dizia. Ela conseguia ver aquilo pelo jeito dele, ele queria se afirmar, e seria assim até que conseguisse um posto de professor ou se casasse, para que não precisasse estar sempre dizendo "Eu... Eu... Eu". Pois sua crítica ao pobre sir Walter, ou talvez agora fosse Jane Austen, se resumia a isso. "Eu... Eu... Eu..." Ele estava pensando em si mesmo e na impressão que causava, como ela percebia pelo som de sua voz, pela ênfase e pela sua inquietação. O sucesso lhe faria bem. De qualquer forma, lá foram eles de novo. Agora ela não precisava ouvir. Não poderia durar muito, ela sabia, mas no momento seus olhos estavam tão claros que pareciam dar a volta na mesa descortinando cada uma daquelas pessoas e seus pensamentos e sentimentos, sem esforço, como uma luz penetrando na água, de forma que as ondas e os juncos que havia ali e os peixinhos oscilando, e até a veloz truta silenciosa, todos ficavam iluminados, suspensos, trêmulos. Era assim que ela os via; era assim que os ouvia; mas o que quer que dissessem também tinha essa qualidade, como se suas falas fossem como o movimento de uma truta, quando, ao mesmo tempo, se consegue ver as ondulações e o cascalho do fundo, algo à esquerda, algo à direita; e o todo é mantido conectado; pois enquanto na vida ativa ela prendia e separava uma coisa da outra; ela diria que gostava dos romances de Scott ou que não os lera; ela se incitaria a falar algo; naquele instante ela não disse nada. Por aquele momento, ela pairou em suspenso.

– Ah, mas quanto tempo você acha que vai durar? – alguém disse. Era como se ela tivesse antenas se agitando que, ao interceptar certas frases, forçavam-na a prestar atenção. Essa era uma delas. Ela farejou perigo para o esposo. Uma pergunta como aquela levaria alguém, quase com certeza, a dizer algo que o faria lembrar de seu próprio fracasso. Por quanto tempo ele seria lido – ele pensaria de imediato. William Bankes (que estava completamente livre de todo tipo de vaidade como essa) riu, e disse que não dava a menor importância a mudanças da moda. Quem poderia dizer o que duraria na literatura, ou, na verdade, em qualquer outra coisa?

– Vamos desfrutar daquilo que de fato desfrutamos – disse ele. Sua integridade parecia bastante admirável para a sra. Ramsay. Ele nunca pareceu, nem por um momento, pensar "Mas como isso me afeta?". Mas, por outro lado, se alguém tinha o outro temperamento, que precisa de elogios, que precisa ser encorajado, é natural começar a ficar desconfortável (e ela sabia que isso acontecia com o sr. Ramsay); querer que alguém diga "Ah, mas seu trabalho durará, sr. Ramsay", ou algo do gênero. Ele deixou sua inquietação bastante clara ao dizer, com alguma irritação, que, de qualquer forma, Scott (ou seria Shakespeare?), duraria para ele enquanto ele vivesse. Ele disse com irritação. Todos, pensou ela, ficaram um pouco desconfortáveis, sem saber por quê. Então Minta Doyle, cujo instinto era bom, disse brusca e absurdamente, que não acreditava que qualquer pessoa de fato gostasse de ler Shakespeare. Com uma carranca, o sr. Ramsay disse (mas sua mente já tinha se distraído) que poucas pessoas gostavam dele tanto quanto diziam gostar. Mas, acrescentou, ainda assim, há mérito considerável em algumas das peças, e a sra. Ramsay viu que tudo ficaria bem ao menos por aquele momento; ele riria de Minta, e ela – a sra. Ramsay viu – dando-se conta da ansiedade extrema dele a respeito de si, a seu próprio modo cuidaria dele, elogiando-o de um jeito ou de outro. Mas a sra. Ramsay queria que não fosse necessário: talvez o fato de ser necessário fosse culpa dela. De qualquer forma, ela agora estava livre para ouvir o que Paul Rayley tentava dizer a respeito de livros que você lê quando garoto. Esses duravam, disse ele. Ele lera um pouco de Tolstói na escola. Havia um de que sempre se lembrava, mas havia esquecido o nome. Nomes russos eram impossíveis, a sra. Ramsay disse. "Vronsky", disse Paul. Ele se lembrou porque sempre achou que era um bom nome para um vilão. "Vronsky," disse a Sra. Ramsay; "Ah, *Anna Karenina*", mas isso não os levou muito longe; livros não eram do feitio dos dois. Não, Charles Tansley os corrigiria num instante a respeito de livros, mas estava tudo tão misturado com "Estou dizendo a coisa certa? Estou causando uma boa impressão?", que, afinal, ficava-se sabendo mais dele do que de Tolstói, enquanto o que Paul dizia era sobre o tema, e não sobre si mesmo, nada mais. Como todas as pessoas estúpidas, ele tinha uma espécie de modéstia também, uma consideração pelo que se está sentindo, que – às vezes, de certa forma ao menos – ela achava charmoso. Então ele estava pensando, não em si mesmo ou em Tolstói, mas em se ela estava com frio, se ela sentia uma corrente de ar, se ela queria uma pera.

Não, disse ela, ela não queria uma pera. De fato, ela estivera de guarda da travessa de frutas (sem se dar conta), com ciúme, esperando que ninguém a tocasse. Seus olhos estiveram indo de um lado para o outro pelas curvas e sombras das frutas, em meio aos ricos tons violeta das uvas, passando depois pela borda rígida da concha, lançando um amarelo contra um roxo, um formato curvilíneo contra um arredondado – ela sem saber por que estava fazendo isso, ou por que, a cada vez que fazia –, ela se sentia cada vez mais serena; até que, ah, que pena que eles fossem fazer isso – uma mão se estendeu, pegou uma pera e destruiu a cena toda. Compreensiva, ela olhou para Rose. Olhou para Rose sentada entre Jasper e Prue. Que estranho que sua própria filha tivesse feito isso!

Que estranho, vê-los todos sentados ali, enfileirados, seus filhos: Jasper, Rose, Prue, Andrew, quase mudos, mas com alguma piada interna correndo entre eles, ela se deu conta, pelo tremer dos lábios deles. Era algo muito diferente de todo o resto, algo que eles estavam guardando para se divertir no quarto mais tarde. Não era a respeito do pai, esperava ela. Não, ela achava que não. O que seria, perguntou-se ela, inclusive um pouco triste, pois parecia que eles ririam quando ela não estivesse ali. Havia tudo isso acumulado atrás daqueles rostos compostos, tranquilos, como máscaras, pois eles não se misturavam aos demais com facilidade; eram como observadores, fiscais, um pouco acima ou separados dos adultos. Mas quando olhou para Prue, ela viu que isso não era bem verdade no caso dela esta noite. Ela estava só começando, só se movendo, começando a descer. A mais sutil das luzes recaía sobre seu rosto, como se fosse o fulgor de Minta do outro lado da mesa, alguma empolgação, alguma antecipação de felicidade se refletia nela, como se o sol do amor dos homens e mulheres subisse pela beira da toalha, e sem saber o que era, ela se inclinava para a frente e o cumprimentava. Ela ficava olhando para Minta – timidamente, ainda que com curiosidade –, de forma que a sra. Ramsay olhava de uma para a outra e dizia, falando com Prue em sua própria mente, "Você será tão feliz quanto ela um dia". Será muito mais feliz, acrescentou ela, porque é minha filha, ela quis dizer; sua própria filha deveria ser mais feliz do que as filhas das outras pessoas. Mas o jantar estava terminado. Era hora de ir. Eles estavam apenas brincando com as coisas nos pratos. Ela esperaria até que terminassem de rir de alguma história que o marido contava. Ele estava contando uma piada para Minta sobre uma aposta. Então a sra. Ramsay ia se levantar.

Ela gostava de Charles Tansley, pensou ela, de repente; ela gostava de sua risada. Gostava dele por ficar tão bravo com Paul e Minta. Ela gostava de como ele era esquisito. Havia muito naquele rapaz afinal de contas. E Lily, pensou ela, descansando o guardanapo ao lado do prato, ela sempre tinha uma piada sua. Nunca seria necessário se incomodar com Lily. Ela esperava. Deixou seu guardanapo ao lado do prato. Bem, tinham terminado então? Não. A história levou a outra história. O marido estava de bom humor naquela noite, e desejando – imaginava ela – aparar as arestas com o velho Augustus depois da situação da sopa, ele tinha feito com que o outro se aproximasse, estavam contando histórias sobre alguém que os dois conheceram na faculdade. Ela olhou a janela, e as chamas da vela brilhavam ainda mais contra as vidraças agora que estavam escuras, e olhando para fora, as vozes lhe vinham muito estranhas, como se fossem as vozes em um ofício numa catedral, pois ela não ouvia as palavras. Os estouros de gargalhadas súbitas e então uma voz falando apenas (de Minta), faziam com que ela se lembrasse de homens e meninos repetindo palavras em latim em alguma missa numa catedral romana gótica. Ela esperou. Seu marido falou. Ele repetia algo, e ela sabia que era poesia pelo ritmo e o eco de exultação, e a melancolia em sua voz:

Vem e caminha pelo jardim, Luriana Lurilee,
que bela.
A rosa da China desabrocha e zune com a abelha amarela.

As palavras (ela olhava pela janela) flutuavam feito flores na água, lá fora, desligadas deles todos – como se ninguém as houvesse dito, mas como se tivessem vindo à vida sozinhas.

E todas as vidas vividas, e as vidas a viver
Estão cheias de árvores e folhas em mudança.

Ela não sabia o que as palavras queriam dizer, mas, como música, as palavras pareciam ser ditas em sua própria voz, fora dela mesma, dizendo com bastante facilidade e naturalidade o que estivera em sua mente ao longo da noite inteira enquanto ela falava coisas diferentes. Ela sabia, sem olhar ao redor, que cada um naquela mesa estava ouvindo aquela voz, que dizia:

Eu me pergunto se lhe parece assim, Luriana, Lurilee

com o mesmo tipo de alívio e prazer que ela sentia – como se essa fosse, enfim, a coisa natural a dizer, essa fosse a voz própria deles todos falando.

Mas a voz tinha parado. Ela olhou ao redor. Ela se fez levantar. Augustus Carmichael tinha levantado e, segurando o guardanapo de mesa de forma que parecia um longo robe branco, ele parou recitando:

*Ver os reis passarem a cavalo, as pradarias floridas
Cruzando os gramados, as margaridas,
Com as folhas de palma e cedro, ali
Luriana, Lurilee.*

e quando ela passou por ele, ele se voltou de leve para ela, repetindo as palavras finais:

Luriana, Lurilee

e fez uma reverência para ela como se lhe homenageasse. Sem saber por que, ela sentia que ele gostava mais dela do que jamais havia gostado; e com um sentimento de alívio e gratidão, ela devolveu a reverência e passou pela porta que ele segurou aberta. Era necessário agora levar tudo um passo adiante. Com o pé na soleira, ela esperou por um instante a mais numa cena que desaparecia perante seus olhos, e então, ao se mover e pegar o braço de Minta e deixar o recinto, a cena mudou, ganhou uma forma diferente; ele já tinha se tornado – ela sabia, dando uma última olhada por cima do próprio ombro – o passado.

18

Como de costume, pensou Lily. Sempre havia algo que tinha que ser feito naquele momento exato, algo que a sra. Ramsay decidira, por motivos dela própria, fazer no mesmo instante, talvez com todos em pé ao redor fazendo piadas, como naquele momento, sem conseguir decidir se iriam para a sala de fumar, para a sala de visitas, ou para o andar de cima. Então a sra. Ramsay estava no meio dessa agitação, parada ali de braço dado com Minta, reconsiderando, "Sim, agora está na hora disso", e depois saiu de imediato com um ar de segredo para fazer algo sozinha. E logo que ela saiu, uma espécie de desintegração se instalou; todos andando sem rumo, indo para lados diferentes; o sr. Bankes pegou o braço de Charles Tansley e o levou para o terraço para terminarem o debate que iniciaram no jantar sobre política – mudando assim todo o equilíbrio da noite, fazendo com que o peso caísse em uma direção diferente, como se, pensou Lily, vendo-os partir, e ouvindo uma palavra ou outra sobre as políticas do Partido Trabalhista, eles tivessem subido à ponte do navio e se perfilado; a mudança de poesia para política a atingiu daquela forma; e assim o sr. Bankes e Charles saíram enquanto a sra.

Ramsay subia as escadas sozinha sob a luz da lamparina. Aonde, Lily se perguntou, ela ia tão rápido? Não que ela de fato estivesse correndo ou andando apressada; ela ia, na verdade, bastante devagar. A sra. Ramsay sentia muita vontade de, por apenas um instante, ficar imóvel depois de toda aquela conversa, e escolher apenas uma coisa em particular; a coisa que importava; separando-a; limpando-a de todas as emoções e miudezas; e assim segurá-la perante si, levá-la ao tribunal onde, reunidos em conclave, estavam os juízes que ela convocara para decidir essas coisas. É bom, é ruim, está certo ou errado? Para onde todos nós estamos indo? e assim por diante. Assim, ela se ajeitou após o choque dos acontecimentos e – muito inconsciente e incongruentemente – usou os galhos dos olmos lá fora para ajudá-la a recuperar a estabilidade. Seu mundo estava mudando: os galhos estavam imóveis. Os acontecimentos lhe haviam dado um senso de movimento. Tudo precisava estar em ordem. Ela tinha que acertar isso e acertar aquilo, pensou, distraída, aprovando a dignidade na imobilidade das árvores, e de vez em quando do soberbo movimento ascendente dos galhos do olmo conforme o vento os erguia (como a quilha de um navio cruzando uma onda). Pois ventava (ela parou por um instante para olhar lá fora). Ventava, então os galhos de vez em quando se abriam o suficiente para deixar ver uma estrela, e as próprias estrelas pareciam balançar, disparar e lampejar, tentando brilhar por entre as beiradas das folhas. Sim, então aquilo estava feito, cumprido; e como ocorre com todas as coisas terminadas, aquilo tornou-se solene. Agora, pensando – sem toda aquela conversa e sem as emoções –, parecia que aquilo sempre tinha sido assim, que apenas tinha sido revelado a ela naquele momento: mas, ao ser revelado, inspirava tudo a se manter em estabilidade. Ela pensou, recomeçando a andar, eles retornariam a esta noite enquanto vivessem; esta lua; este vento; esta casa; e ela também. Era algo que a lisonjeava, no ponto onde era mais sensível à lisonja, pensar que, entrelaçada em seus corações, ela permaneceria enquanto os dois vivessem; e isto, e isto, e isto – pensou, subindo as escadas, rindo, mas com afeto, no sofá (de sua mãe) no vestíbulo; na cadeira de balanço (de seu pai); no mapa das Ilhas Hébridas. Tudo aquilo seria revivido de novo nas vidas de Paul e Minta; "os Rayley" – ela experimentou o nome novo; e sentiu, com a mão na porta do quarto das crianças, aquela comunhão de sentimento com outras pessoas que a emoção causa, como se as paredes tivessem se tornado tão finas que praticamente (o sentimento era de alívio e felicidade) tudo agora era uma única corrente, e cadeiras, mesas, mapas, pertencessem a ela, pertencessem a eles, não importava a quem, e que Paul e Minta levariam aquilo adiante quando ela morresse.

Ela girou a maçaneta, com firmeza, para que não rangesse, e entrou, pressionando os lábios de leve, como se para se lembrar de não falar em voz alta. Mas de imediato, ao entrar, ela viu, com irritação, que a precaução era desnecessária. Os filhos não estavam dormindo. Era um grande incômodo. Mildred deveria tomar mais cuidado. Lá estava James, totalmente desperto, e Cam sentada na cama, e Mildred fora da cama de pés descalços, e eram quase onze da noite e todos estavam falando. Qual era o problema? Era aquele crânio horrível de novo. Ela tinha mandado Mildred mudá-lo de lugar, mas Mildred, é claro, havia esquecido, e então lá estava Cam totalmente acordada, e James totalmente acordado e brigando quando deviam estar dormindo havia horas. O que deu na cabeça de Edward para lhes mandar esse crânio pavoroso? Ela foi tão tola de deixá-los pendurar aquilo ali. Estava bem pregado, Mildred disse, e Cam não conseguia dormir com aquilo no quarto, e James gritava quando ela tocava naquilo.

Mas Cam tinha que ir dormir (aquilo tinha chifres imensos, disse Cam), tinha que ir dormir e sonhar com lugares adoráveis, disse a sra. Ramsay, sentando-se na cama a seu lado. Era possível ver os chifres, disse Cam, por todo o quarto. Era verdade. Onde quer que colocassem a luz (e James não dormia sem uma luz acesa), sempre havia uma sombra em algum canto.

– Mas pense, Cam, é só um porco velho – disse a sra. Ramsay –, um belo porco preto, como os da fazenda. – Mas Cam achava que era algo pavoroso, tentando pegá-la em qualquer lugar do quarto em que ela estivesse.

– Muito bem, então – disse a sra. Ramsay –, vamos cobrir isso. – E todos a observaram ir até à cômoda e abrir as gavetas rápido, uma depois da outra, e sem ver algo que servisse, ela tirou rápido o seu xale e o envolveu ao redor do crânio, dando voltas e mais voltas, e depois voltou até Cam e deitou sua cabeça quase em paralelo à dela no travesseiro e disse como estava bonito agora; como as fadinhas iam adorar; parecia um ninho de passarinho; era como uma bela montanha, como ela tinha visto no exterior, com vales, flores, sinos retinindo, pássaros cantando, cabritos, antílopes e... Ela conseguia ver as palavras ecoando na mente de Cam enquanto as pronunciava de forma rítmica, enquanto Cam repetia depois dela aquilo parecia uma montanha, um ninho de passarinho, um jardim, e havia antílopes pequenos, e seus olhos se abriam e fechavam, e a sra. Ramsay seguiu falando de forma mais monótona e mais rítmica e com menos sentido, como ela devia fechar os olhos e ir dormir, e sonhar com montanhas, vales, estrelas caind, papagaios, antílopes e jardins, e tudo adorável, dizia ela, erguendo a cabeça bem devagar e falando de forma cada vez mais mecânica, até que a sra. Ramsay se sentou ereta na cama e viu que Cam estava dormindo.

Agora, sussurrou ela, atravessando para a cama dele, James tinha que ir dormir também, pois, veja só, disse ela, o crânio do javali ainda estava ali; ninguém tocou nele; tinham feito exatamente o que ele queria; estava são e salvo. Ele se certificou de que o crânio seguia ali sob o xale. Mas ele queria lhe perguntar algo mais. Eles iam ao Farol amanhã? Não, amanhã não, disse ela, mas logo, ela prometeu; no próximo dia bonito. Ele era muito bonzinho. Deitou-se. Ela o cobriu. Mas ele nunca se esqueceria, ela sabia, e sentiu raiva de Charles Tansley, de seu marido e de si mesma, pois ela tinha criado expectativas nele. Então, tateando à procura do xale e se lembrando de que o enrolara no crânio, ela se levantou e baixou a janela uns poucos centímetros, e ouviu o vento, e inspirou o ar noturno perfeitamente indiferente, e murmurou boa-noite para Mildred e deixou o quarto, cuidando que a lingueta do trinco encaixasse devagar na fechadura, e saiu.

Ela esperava que ele não batesse seus livros no chão no piso acima do quarto das crianças, pensou ela, ainda refletindo sobre como Charles Tansley era irritante. Pois nenhum deles dormia bem; eram crianças sensíveis, e já que ele dizia coisas do gênero sobre o Farol, parecia provável que ele derrubasse uma pilha de livros justamente quando eles estivessem pegando no sono, derrubando-os da mesa com o cotovelo desajeitado. Pois ela imaginava que ele tinha ido para o andar de cima para trabalhar. Contudo, ele parecia tão desolado; contudo, ela se sentiria aliviada quando ele partisse; contudo, ela se certificaria de que ele fosse mais bem tratado amanhã; contudo, ele era admirável com seu marido; contudo, suas maneiras com certeza precisavam melhorar; contudo, ela gostava de sua risada; pensando nisso, enquanto subia as escadas, ela notou que então conseguia ver a lua por uma janela da escadaria – a lua amarelada da época de colheita; ela se voltou, e eles a viram, parada, um nível acima deles na escada.

Esta é minha mãe, pensou Prue. Sim, Minta deveria olhar para ela; Paul Rayley deveria olhar para ela. Essa é a coisa em si, ela sentia, como se houvesse apenas uma pessoa daquela forma no mundo: sua mãe. E mesmo que bastante crescida um minuto antes, conversando com os outros, ela se tornou uma criança de novo, e tudo o que faziam antes era um jogo, e será que a mãe aprovaria o jogo ou o condenaria?, ela se perguntou. E pensando na sorte que Minta, Paul e Lily tinham de poder vê-la, e sentindo que golpe extraordinário de sorte era tê-la, e como ela nunca cresceria e nunca sairia de casa, ela disse, como uma criança: "Nós pensamos em descer à praia para olhar as ondas". No mesmo instante, sem motivo algum, a sra. Ramsay virou uma garota de vinte anos, cheia de alegria. Um ar de celebração subitamente a envolveu. É claro que eles tinham que ir; é claro que tinham que ir, disse ela, rindo; e correndo para descer os três ou quatro últimos degraus rapidamente, ela começou a se voltar de um para o outro, rindo e arrumando melhor o casaco em Minta e dizendo que gostaria de poder acompanhar, e será que eles voltariam muito tarde, e será que algum deles tinha um relógio?

– Sim, Paul tem – disse Minta. Para mostrar, Paul deslizou um lindo relógio dourado de um pequeno saco de camurça. E enquanto ele o estendia na palma da mão, sentiu, "Ela sabe tudo o que aconteceu. Não preciso contar nada". Ao mostrar o relógio, ele estava contando a ela, "Consegui, sra. Ramsay. Devo tudo a você". E com o relógio dourado parado em sua mão, a sra. Ramsay sentiu, que sorte extraordinária de Minta! Ela está se casando com um homem que tem um relógio de ouro num saquinho de camurça!

"Como eu queria poder ir com vocês!", disse ela. Mas algo – tão forte que ela nem sequer cogitava se perguntar o que era – a prendia. É claro que era impossível que ela os acompanhasse. Mas ela gostaria de ir, não fosse pela outra coisa – e provocada pelo absurdo de seu pensamento (que sorte de se casar com um homem que tem um saquinho de camurça para seu relógio), ela foi com um sorriso nos lábios para a outra sala, onde o marido estava sentado lendo.

19

É claro, disse ela para si entrando na sala, ela tinha entrado ali para pegar algo que queria. Primeiramente, queria se sentar em uma poltrona sob um abajur em particular. Mas ela queria algo mais, embora não soubesse, não conseguisse lembrar o que queria. Ela olhou para o marido (buscando suas meias e começando a tricotar) e viu que ele não queria ser interrompido – isso estava claro. Ele estava lendo algo que o tocava muito. Tinha um meio-sorriso nos lábios, e então ela soube que ele estava no controle dos seus sentimentos. Folheava como se atirasse as páginas para o outro lado. Ele estava representando – talvez estivesse se imaginando no lugar do personagem no livro. Ela se perguntou que livro seria. Ah, era um romance do velho Sir Walter, ela viu ajustando a iluminação do abajur para que a luz caísse em seu tricô. Pois Charles Tansley havia dito (ela ergueu os olhos como se esperasse ouvir a queda de livros no piso acima), havia dito que as pessoas não leem mais Scott. Então o marido pensou "É isso que dirão de mim"; assim, ele foi e pegou um desses livros. E se chegasse à conclusão de que "Sim, é verdade", o que Charles Tansley havia dito, ele aceitaria aquilo sobre Scott. (Ela conseguia ver que ele estava ponderando, considerando, juntando as ideias enquanto lia.) Mas não sobre si mesmo. Ele era sempre inseguro sobre si mesmo. Isso a perturbava. Ele sempre se preocupava com seus próprios livros – será que são bons, será que vão ser lidos, por que não são melhores, o que as pessoas acham de mim? Por não gostar de pensar nele dessa forma, e se perguntando se tinham adivinhado o motivo da irritação no jantar ao falarem de fama e o quanto perduram os livros, perguntando-se era disso que riam os filhos, ela parou de tricotar as meias – e todas as finas ranhuras foram desenhadas como se por instrumentos de aço sobre seus lábios e na testa, e ela ficou imóvel como uma árvore que tremeu e balançou, e então, ao cessar o vento, se estabilizou, folha por folha, e ficou imóvel.

Não importava, nada daquilo, pensou ela. Um grande homem, um grande livro, fama – quem tinha como saber? Ela não sabia nada disso. Mas era assim com ele, sua honestidade, por exemplo no jantar, ela estivera pensando instintivamente... se ao menos ele tivesse dito algo! Ela tinha confiança completa nele. E deixando tudo isso de lado – como uma pessoa que vai mergulhando e passa por uma erva, uma palha, uma bolha –, ela caiu de novo, afundando mais, como se sentira na sala enquanto os outros falavam. Há algo que eu quero – algo que vim buscar, e ela despencava cada vez mais fundo sem saber bem o que era, com os olhos fechados. E ela esperou um pouco, tricotando, perguntando-se, e devagar retomou as palavras ditas no jantar, "A rosa da China desabrocha e zune com a abelha amarela", que começaram a ondular de um lado para o outro em sua mente, com ritmo; e enquanto elas ondulavam, as palavras, como pequenas luzes foscas – uma vermelha, uma azul, uma amarela, acesas no escuro de sua mente – pareciam sair de seus poleiros para voar no alto cruzando os céus, ou para gritar e ecoar; ela se virou e tateou na mesa ao lado, em busca de um livro.

E todas as vidas vividas
e todas as vidas a viver
Estão cheias de árvores e folhas em mudança.

Ela murmurou, enfiando as agulhas na meia. E ela abriu o livro e começou a ler aqui e ali, de forma aleatória, e ao fazer isso, sentiu que subia de costas, para cima, abrindo caminho sob pétalas que se curvavam sobre ela, de forma que ela apenas reconhecia que isto é branco, ou isto é vermelho. Ela não sabia de início o que as palavras queriam dizer.

Todos os marinheiros esfarrapados, naveguem, naveguem para cá seus pinheiros alados,

Ela lia e virava a página, oscilando o corpo, ziguezagueando para este ou aquele lado, de uma frase para outra, como se fosse de um galho para outro, de uma flor vermelha e branca para outra, até que um ruído a despertou – o marido deu um tapa na própria coxa. Seus olhos se encontraram por um instante; mas eles não queriam falar. Não tinham nada a dizer, mas, ainda assim, algo parecia ir dele para ela. Foi a vida, foi o poder dela, foi o humor tremendo, ela sabia, que o levara a bater na coxa. Não me interrompa, ele parecia estar dizendo, não diga nada; só fique aí sentada. E seguiu a leitura. Seus lábios se contraíram. Aquilo o preenchia. Fortalecia-o. Ele se esquecia por completo de todos os incômodos e aborrecimentos da noite, e de como o entediava – era indizível – ficar sentado parado enquanto pessoas comiam e bebiam interminavelmente, e ele estando tão irascível com a esposa e tão sensível e preocupado quando passaram por cima de seus livros como se nem sequer existissem. Mas agora, ele sentia, não importava a mínima quem chegaria a Z (se o pensamento progredisse como um alfabeto de A a Z). Alguém chegaria lá – se não ele, outra pessoa. A força e a sanidade desse homem, seu apreço por coisas diretas e simples, esses pescadores, a pobre velha criatura enlouquecida no chalé de Mucklebackit o faziam se sentir tão emocionado e triunfante que ele não conseguia conter as lágrimas. Erguendo o livro um pouco para esconder o rosto, ele as deixou cair e balançou a cabeça de um lado para o outro e se esqueceu de si por completo (mas não sem uma ou duas reflexões sobre moralidade e romances franceses e romances ingleses e as mãos de Scott estarem atadas, mas sua ideologia ser verdadeira como qualquer outra), esquecendo-se de seus próprios aborrecimentos e fracassos, perdido no afogamento do pobre Steenie e no luto de Mucklebackit (aquele era Scott em plena forma), e o deleite surpreendente e o sentimento de vigor que aquilo lhe dava. Bem, que eles façam melhor que isso, pensou ele enquanto terminava o capítulo. Ele sentia que estivera discutindo com alguém e havia vencido. Eles não conseguiriam fazer melhor do que isso, dissessem o que dissessem; e sua própria posição se tornava mais segura. Os amantes de Scott eram coisinhas de nada, pensou ele, reunindo tudo na mente de novo. Isso é coisinha de nada; isso é de primeira, pensou, colocando uma ideia ao lado da outra. Mas ele tinha que reler. Ele não conseguia se lembrar da forma geral da coisa. Ele tinha que suspender seu juízo. Então ele voltou ao outro pensamento – os jovens não gostavam disso, naturalmente tampouco gostavam dele. Não devia lamentar, pensou o sr. Ramsay, tentando sufocar seu desejo de reclamar à esposa que os jovens não o admiravam. Mas ele estava determinado; não a perturbaria de novo. Então ele olhou para ela lendo. Ela parecia muito pacífica, lendo. Ele gostava de pensar que todos haviam se retirado e que ele e ela estavam a sós. A vida não se constitui apenas em ir para a cama com uma mulher, pensou, voltando a Scott e Balzac, ao romance inglês e ao romance francês.

A sra. Ramsay ergueu a cabeça e, como uma pessoa num sono leve, pareceu dizer que, se ele quisesse que ela acordasse, ela acordaria, acordaria de verdade, mas, senão, será que ela podia continuar dormindo, só mais um pouquinho, só mais um pouquinho? Ela estava escalando aqueles galhos, para esse lado e aquele, colocando as mãos em uma flor e então noutra.

Tampouco louvem o escarlate da rosa,

Ela lia, e ao ler, subia, ela sentiu, rumo ao topo, rumo ao pico. Como era prazeroso! Como era tranquilizador! Todas as picuinhas do dia se prendiam a este ímã; sua mente parecia

varrida, limpa. E então lá estava, repentinamente inteiro; ela o segurava em suas mãos, belo e razoável, claro e completo, aqui – o soneto.
  Mas ela estava tomando consciência de que o marido a observava. Ele sorria ao vê-la de um modo intrigante, como se estivesse zombando de leve dela por pegar no sono em plena luz do dia, mas ao mesmo tempo ele pensava, continue lendo. Você não parece triste agora, pensou ele. E ele se perguntou o que ela lia e exagerou sua ignorância, sua simplicidade, pois gostava de pensar que ela não era inteligente, não era nada estudada. Ele se perguntava se ela entendia o que lia. Era provável que não, pensou. Ela era assombrosamente bela. Para ele, sua beleza parecia, se é que isso era possível, só aumentar.

Ainda assim, parecia ainda invernar, com você distante,
Assim, eu com sua sombra, tão brincante.

Ela terminou.
  – E então? – perguntou ela, correspondendo ao seu sorriso sonhador, erguendo os olhos do livro.

Assim, eu com sua sombra, tão brincante.

Ela murmurou, pousando o livro na mesa.
  O que tinha acontecido, ela se perguntou, pegando o tricô de volta, desde a última vez que ambos ficaram a sós? Ela se lembrava de ter se vestido e de ver a lua; Andrew segurando o prato alto demais no jantar; de entristecer-se com algo que William disse; os pássaros nas árvores; o sofá no patamar; as crianças despertas; Charles Tansley as acordando com os livros que caíam – ah, não, isso ela inventara –, e Paul com uma bolsinha de camurça para seu relógio. De qual desses assuntos ela devia lhe falar?
  – Eles noivaram – disse ela, começando a tricotar – Paul e Minta.
  – Imaginei – disse ele. Não havia muito a ser dito a respeito. A mente dela ainda subia e descia, subia e descia com a

poesia; e ele ainda se sentia muito vigoroso, muito direto, depois de ler sobre o funeral de Steenie. Assim, eles ficaram sentados em silêncio. Então, ela percebeu que queria que ele dissesse algo. Qualquer coisa, qualquer coisa, pensou, seguindo com seu tricô. Qualquer coisa serve.

– Como seria bom se casar com um homem que tem um saquinho de camurça para o relógio – disse ela, pois esse era o tipo de piada que eles contavam um para o outro. Ele bufou. O que ele achava desse noivado era o que ele sempre achava de qualquer noivado; a moça é boa demais para esse rapaz. Lentamente, veio à sua mente, por que então as pessoas querem que os outros se casem? Qual era o valor, o significado das coisas? (Cada palavra que eles diriam agora seria verdadeira.) Diga algo, pensou ela, desejando apenas ouvir a voz dele. Afinal, a sombra, aquilo que envolvia os dois, ela sentia, estava começando a se fechar ao redor dela de novo. Diga qualquer coisa, implorou ela, olhando para ele, como se pedisse socorro.

Ele estava quieto, sacudindo a pequena bússola na corrente do relógio de um lado para o outro, e pensando nos romances de Scott e de Balzac. Mas através das paredes crepusculares da intimidade de ambos, pois eles estavam se aproximando, involuntariamente, chegando a ficar lado a lado, muito próximos, ela conseguia sentir a mente dele como uma mão erguida criando uma sombra sobre a sua mente; e ele estava começando – agora que os pensamentos dela tomavam um rumo de que ele não gostava, rumo a esse "pessimismo", como ele chamava – a ficar agitado, embora ele não dissesse nada, levando a mão à testa, torcendo uma mecha de cabelo, deixando-a cair de novo.

– Você não vai terminar essa meia hoje – disse ele, apontando para o tricô. Era isso que ela queria, a aspereza em sua voz reprovando-a. Se ele diz que está errado ser pessimista, provavelmente está errado, pensou ela; o casamento dará certo.

– Não vou – disse ela, alisando a meia no colo. – Não vou terminar a meia.

E então? Pois ela sentia que ele ainda a observava, mas que seu olhar mudara. Ele queria algo, queria a coisa que ela sempre achava tão difícil de lhe dar; queria que ela lhe dissesse que o amava. E isso, não, ela não poderia fazer. Ele falava com muito mais facilidade que ela. Ele conseguia dizer coisas, ela nunca. Era tão natural que ele dissesse as coisas, que era ele quem sempre dizia, e então por algum motivo ele se importara com isso de súbito, e a reprovava. Uma mulher sem coração, ele a chamava; ela nunca lhe dissera que o amava. Mas não era isso, não era isso. Era apenas que ela nunca conseguia dizer o que sentia. Havia alguma sujeira em seu casaco? Algo que pudesse fazer por ele? Levantando-se, ela foi para a janela com a meia castanho-avermelhada nas mãos, em parte para dar as costas para ele, em parte porque ela se lembrou de como aquilo frequentemente era lindo – o mar à noite. Mas ela sabia que ele tinha virado a cabeça quando ela se levantou; ele a observava. Ela sabia o que ele estava pensando, "Você está mais bonita do que nunca". E ela se sentia muito bonita. "Você não vai me dizer, ao menos uma vez, que me ama?" Ele pensava isso, pois estava irritado por causa de Minta e seu livro, por ser o final do dia deles e por eles terem discutido sobre ir ao Farol. Mas ela não podia fazer aquilo; não podia dizer. Então, sabendo que ela o observava, em vez de dizer qualquer coisa, ela se virou, segurando a meia, e o olhou. E ao olhar para ele, ela começou a sorrir, pois apesar de ela não ter dito uma palavra, ele sabia, é claro que sabia, que ela o amava. Ele não poderia negar. E sorrindo, ela olhou para fora da janela e disse (pensando consigo mesma, "Nada na terra pode se igualar a esta felicidade"):

– Sim, você tinha razão. Vai estar úmido amanhã. Não vai dar para ir ao Farol. – E ela olhou para ele sorrindo. Pois ela triunfara de novo.

Ela não dissera, ainda assim, ele sabia.

PARTE II
O TEMPO PASSA

1

—B em, devemos esperar que o futuro mostre – disse Bankes, vindo do terraço.
– Está quase escuro demais para ver – disse Andrew, vindo da praia.
– Quase não dá para dizer o que é mar e o que é terra – disse Prue.
– Vamos deixar essa luz acesa? – disse Lily enquanto eles tiravam os casacos ao entrar.
– Não – disse Prue –, não se todos tiverem entrado.
– Andrew – ela disse de volta –, apague a luz do corredor.

Uma a uma as luzes foram apagadas, exceto pelo fato de que o sr. Carmichael, que gostava de ficar acordado lendo Virgílio, manteve sua vela acesa por mais tempo que os demais.

2

Assim, com as luzes todas apagadas, a lua afundou e uma chuva fina tamborilou no telhado, e um temporal de imensa escuridão começou. Nada, ao que parecia, poderia sobreviver à inundação, à profusão de escuridão que, rastejando por buracos de fechadura e fendas, penetrava por persianas, entrava nos quartos, engolia aqui um jarro e uma bacia, ali um vaso de dálias vermelhas e amarelas, acolá as quinas vivas e o firme volume de uma cômoda. Não apenas a mobília se tornou indistinta; quase não sobrou nada do corpo ou da mente que alguém pudesse dizer: "Este é ele" ou "Esta é ela". Às vezes, uma mão se erguia como se fosse agarrar algo ou se proteger de algo, ou alguém gemia, ou alguém ria alto como se estivesse compartilhando uma piada com o nada. Nada se mexia na sala de estar, na sala de jantar ou na escada. Somente através das dobradiças enferrujadas e da madeira inchada umedecida pelo mar certos ares, separados do corpo do vento (a casa estava em ruínas, afinal), rastejavam pelos cantos e se aventuravam dentro de casa. Quase se podia imaginá-los, ao entrarem na sala de estar questionando e imaginando, brincando com a ponta do papel de parede pendurado, perguntando, será que ele continuaria pendurado por muito tempo ainda, quando cairia? Em seguida, deslizando suavemente pelas paredes, eles passavam pensativos, como se perguntando às rosas vermelhas e amarelas no papel de parede se elas desbotariam, e questionando (suavemente, pois havia tempo à sua disposição) as cartas rasgadas na cesta de lixo, as flores, os livros, todos agora estavam abertos para eles e perguntando: "Será que eles eram aliados? Será que eram inimigos? Quanto tempo durariam?" Então alguma luz aleatória direcionando-os com seus passos pálidos em escadas e tapetes, vinda de alguma estrela descoberta, ou de um navio errante, ou mesmo do Farol, com seus passos pálidos em escadas e tapetes, os pequenos ares subiam a escada e farejavam as portas dos quartos. Mas aqui certamente eles precisavam parar. Independentemente do que mais possa perecer e desaparecer, o que estava aqui era constante. Aqui, seria possível dizer para aquelas luzes deslizantes, para aqueles desastrados ares que respiram e se curvam sobre a própria cama, aqui vocês não podem tocar, isso vocês não podem destruir. E, ao ouvir isso, cansados, fantasmagóricos, como se tivessem dedos com a leveza de plumas e com a leve persistência das plumas, eles olhariam, uma vez, para os olhos fechados e para os dedos que se entrelaçavam frouxamente, dobrariam suas vestes com cansaço e desapareceriam. E assim, farejando, se esfregando, eles foram à janela da escada, aos quartos dos empregados, às divisórias do sótão; descendo, empalideceram as maçãs da mesa da sala de jantar, remexeram nas pétalas de rosas, experimentaram o quadro sobre o cavalete, deslizaram sobre o tapete e sopraram um pouco de areia no chão. Por fim, desistindo, todos cessaram juntos, todos se reuniram, todos suspiraram juntos; todos juntos soltaram uma lufada de lamentação sem rumo a que alguma porta da cozinha respondeu; balançando amplamente; não admitindo nada; e batendo.

[Aqui o sr. Carmichael, que estava lendo Virgílio, apagou sua vela. Já passava da meia-noite.]

3

Mas o que afinal é uma noite? Um breve espaço, especialmente quando a escuridão se dissipa tão cedo e tão cedo um pássaro pia, um galo canta, ou um verde tênue acelera, como uma folha girando, no oco da onda. Noites, porém, sucedem-se às noites. O inverno tem um suprimento delas e as distribui de modo igualitário, uniforme, com dedos infatigáveis. Elas se alongam; elas escurecem. Algumas mantêm em seus céus planetas claros, placas de brilho. As árvores de outono, devastadas como estão, assumem o lampejo de esfarrapados estandartes que brilham na escuridão dos subterrâneos frios de catedrais, onde letras douradas em páginas de mármore descrevem a morte em batalha e como os ossos descoram e queimam ao longe nas areias do Índico. As árvores do outono brilham sob o luar amarelado, à luz das luas da colheita, a luz que abranda a energia do trabalho, alisa a palha e traz a onda azulada até a praia.

Parecia agora que, tocada pela penitência dos homens e toda a sua fadiga, a bondade divina tinha aberto a cortina e exibido atrás de si, únicos, distintos, a lebre ereta; a onda caindo; o barco balançando; que, caso os merecêssemos, seriam sempre nossos. Mas que tristeza, a bondade divina, puxando a corda, fecha a cortina; aquilo não lhe agrada; ela cobre seus tesouros com uma chuva de granizo e desse modo os quebra, confundindo-os de tal forma que parece impossível que um dia sua calma retorne ou que possamos a partir de seus fragmentos compor um todo perfeito ou ler nos pedaços espalhados as palavras claras da verdade. Pois nossa penitência merece apenas um vislumbre; nossa labuta, apenas uma trégua. As noites agora estão cheias de vento e destruição; as árvores mergulham e se dobram, e suas folhas voam desordenadamente até que o gramado fique coberto por elas, e elas se amontoam em sarjetas, entupindo canos de chuva e espalhando caminhos úmidos. Também o mar se agita e se quebra, e se alguém que dorme imagina poder encontrar na praia uma resposta para suas dúvidas, alguém que compartilhe de sua solidão, afasta as roupas de cama e desce sozinho para caminhar na areia, nenhuma imagem aparentando desejo de ajudar e prontidão divinos comparece pondo ordem na noite e fazendo com que o mundo reflita a bússola da alma. A mão diminui em sua mão; a voz berra em seu ouvido. Quase pareceria inútil em tamanha confusão fazer à noite aquelas perguntas sobre o quê, e por quê, e para quê, que induzem a pessoa que estava dormindo a deixar sua cama e buscar uma resposta.

[O sr. Ramsay, tropeçando ao longo de um corredor numa manhã escura, esticou os braços, mas como a sra. Ramsay morrera repentinamente na noite anterior, seus braços, embora esticados, permaneceram vazios.]

4

Assim, com a casa vazia, as portas trancadas e os colchões enrolados, aqueles ares perdidos, soldados avançados de grandes exércitos, entrando ruidosamente, roçando tábuas nuas, mordiscando e ventilando, não encontraram nada no quarto ou na sala de estar que resistisse totalmente a eles, mas apenas cabides que batiam, madeiras que rangiam, pernas nuas de mesas, panelas e porcelanas já emboloradas, manchadas, rachadas. Aquilo que as pessoas tinham descartado e deixado para trás – um par de sapatos, um chapéu de caça, umas saias desbotadas e casacos no guarda-roupas – só isso conservava a forma humana e no vazio indicava como aquelas coisas antes eram preenchidas e animadas; como certa vez as mãos estiveram ocupadas com ganchos e botões; como certa vez o espelho havia exibido um rosto; havia exibido um mundo esvaziado em que uma figura se virou, uma mão se agitou, a porta se abriu, crianças entraram correndo e caindo; e saíram novamente. Agora, dia após dia, a luz mudava, como uma flor refletida na água, sua imagem nítida na parede oposta. Somente as sombras das árvores, florescendo ao vento, prestavam reverência à parede e, por um momento, escureciam a poça em que a luz se refletia; ou pássaros, voando, faziam uma sombra suave flutuar lentamente pelo chão do quarto.

Assim reinavam a beleza e a quietude, e juntas elas moldavam a forma da própria beleza, uma forma da qual a vida havia partido; solitária como uma poça ao entardecer, muito distante, vista da janela de um trem, desaparecendo tão rapidamente que a poça, pálida à noite, mal deixa sua solidão, embora tenha sido vista. A beleza e a quietude se davam as mãos no quarto, e em meio aos jarros envoltos e às cadeiras cobertas com lençóis, nem mesmo o vento curioso e o odor macio da maresia, roçando, respirando, repetindo e reiterando suas perguntas – "Você vai desaparecer? Você vai perecer?" –, mal perturbavam a paz, a indiferença, o ar de pura integridade, como se a pergunta feita mal exigisse que eles respondessem: nós permaneceremos.

Nada parecia poder quebrar aquela imagem, corromper aquela inocência, ou perturbar o manto oscilante do silêncio que, semana após semana, na sala vazia, entrelaçava em si os gritos cadentes dos pássaros, o assobio dos navios, o zumbido e o zunido dos campos, o latido de um cachorro, o grito de um homem, e enrolava na casa, em silêncio, o tecido resultante. Certa vez, uma única tábua se soltou no patamar da escada; certa vez, no meio da noite com um rugido, com uma ruptura, como depois de séculos de quietude, uma rocha se desprendeu da montanha e se chocou contra o vale, uma dobra do xale se soltou e balançou de um lado para o outro. Depois, novamente a paz se instalou; e a sombra oscilou; a luz curvou-se perante sua própria imagem em adoração na parede do quarto; e a sra. McNab, rasgando o véu do silêncio com as mãos que estavam na banheira, moendo-o com botas que haviam triturado as telhas, veio, pois a haviam instruído que abrisse todas as janelas e espanasse os quartos.

5

Enquanto ela cambaleava (pois singrava como um navio no mar) e olhava com malícia (pois seus olhos não pousavam em nada diretamente, mas olhavam de soslaio, desdenhando do desprezo e da raiva do mundo – ela era tola, e sabia disso), enquanto se agarrava ao corrimão, arrastava-se escada acima e singrava de cômodo em cômodo, ela cantava. Esfregando o vidro do longo espelho e olhando de soslaio para sua figura oscilante, um som saiu de seus lábios, algo que tinha sido alegre vinte anos antes no palco, talvez, tinha sido cantarolado e que tinha feito alguém dançar, mas agora, vindo da desdentada caseira com seu gorro, perdera seu significado, era como a voz da tolice, do humor, da própria persistência, pisoteada, mas voltando a subir, de modo que, enquanto ela cambaleava, espanando, limpando, parecia dizer como era viver uma longa vida de tristeza e dificuldades, como era levantar e ir para a cama novamente, e levar coisas para fora e colocá-las para dentro de novo. Não era fácil nem confortável esse mundo que ela conhecia havia quase setenta anos. Ela estava curvada pelo cansaço. Quanto, perguntou ela, rangendo e gemendo de joelhos embaixo da cama, espanando as tábuas, quanto tempo isso dura? Mas ela pôs-se de pé coxeando novamente, e novamente com seu olhar malicioso de soslaio que deslizava e se desviava até mesmo do próprio rosto, e de suas próprias tristezas, parou e ficou boquiaberta diante do espelho, sorrindo sem objetivo, e começou de novo o velho ato de caminhar e claudicar, pegando tapetes, pondo nos lugares as porcelanas, olhando de lado para o espelho, como se, afinal, ela tivesse seus consolos, como se de fato houvesse entrelaçada à sua canção fúnebre uma esperança incorrigível. Devia haver visões de alegria na banheira, digamos, com os filhos dela (no entanto, dois eram ilegítimos e um a abandonara), no pub, bebendo; revirando bugigangas em suas gavetas. Alguma fresta devia existir em meio à escuridão, algum canal nas profundezas da obscuridade pelo qual passara luz suficiente para distorcer seu rosto sorridente no reflexo e levá-la, voltando-se para seu trabalho novamente, a murmurar a velha canção da casa de espetáculos. O místico, o visionário, caminhando pela praia numa bela noite, agitando uma poça, olhando para uma pedra, perguntando a elas "O que sou eu?", "O que é isso?", de repente recebera uma resposta: (elas não sabiam dizer o que era), para que elas se aquecessem no frio e tivessem conforto no deserto. Mas a sra. McNab continuou a beber e fofocar como antes.

6

A primavera sem uma folha para agitar, nua e brilhante como uma virgem feroz em sua castidade, desdenhosa em sua pureza, foi estendida sobre os campos, olhos arregalados e vigilantes e negligenciando totalmente o que os espectadores faziam ou pensavam. [Prue Ramsay, de braços dados com o pai, foi dada em casamento. O que, disseram as pessoas, poderia ter sido mais adequado? E, acrescentaram, como ela estava linda!]
À medida que o verão se aproximava, à medida que as tardes se alongavam, aqueles que estavam acordados, os que se mantinham esperançosos, caminhando na praia, agitando as poças d'água, imaginavam as coisas mais estranhas – carne transformada em átomos que se moviam diante do vento, estrelas piscando em seus corações, penhasco, mar, nuvem e céu reunidos deliberadamente para dar unidade a partir do exterior às partes dispersas da visão interna. Naqueles espelhos, nas mentes dos homens, nessas poças de água inquietas, em que sempre as nuvens se agitam e as sombras se formam, os sonhos persistiam, e era impossível resistir à estranha insinuação que cada gaivota, flor, árvore, homem e mulher, e a própria areia branca pareciam fazer (mas, se questionados, imediatamente recuavam) de que o bem triunfa, a felicidade

prevalece, a ordem predomina; ou resistir ao estímulo extraordinário de andar de um lado para o outro em busca de algum bem absoluto, algum cristal de intensidade, distante dos prazeres conhecidos e das virtudes familiares, algo estranho aos processos da vida doméstica, único, resistente, brilhante, como um diamante na areia, capaz de deixar em segurança seu portador. Além disso, suavizada e aquiescente, a primavera com seu zumbido de abelhas e mosquitos dançando jogava seu manto sobre ela, velava seus olhos, desviava de sua cabeça, e entre sombras e rajadas de chuva fraca parecia ter tomado sobre ela o conhecimento das tristezas da humanidade.

[Prue Ramsay morreu naquele verão por alguma doença ligada ao parto, o que foi realmente uma tragédia, as pessoas diziam, tudo, diziam, parecia tão promissor.]

E agora, no calor do verão, o vento novamente mandou seus espiões até a casa. Teias voavam nos quartos ensolarados; ervas daninhas que tinham crescido perto do vidro durante a noite batiam metodicamente na vidraça. Quando a escuridão caía, o pulso do Farol, que havia se estendido com tamanha autoridade sobre o tapete na escuridão, traçando seu padrão, vinha agora na luz mais suave da primavera misturado com o luar deslizando suavemente como se depositasse sua carícia, permanecesse furtivamente, olhasse e voltasse amoroso mais uma vez. Mas na própria calmaria dessa carícia amorosa, quando o longo pulso se estendeu sobre a cama, a rocha se partiu em pedaços; outra dobra do xale se soltou; lá ficou pendurada e se balançando. Durante as curtas noites e os longos dias de verão, quando as salas vazias pareciam murmurar com os ecos dos campos e o zumbido das moscas, a longa flâmula ondulava suavemente, balançando sem rumo; enquanto o sol riscava e tingia os quartos e os enchia de névoa amarela a ponto de a sra. McNab, ao entrar e sair cambaleando, espanando, varrendo, parecer um peixe tropical nadando em águas banhadas pelo sol.

Mas, independentemente de todo o sono e de toda a letargia, vinham mais tarde, no verão, sons sinistros como golpes estudados de martelos amortecidos pelo feltro, que, com seus baques repetidos, afrouxavam ainda mais o xale e rachavam as xícaras de chá. De vez em quando, algum vidro tilintava no armário como se uma voz gigante tivesse gritado tão alto em sua agonia que os copos dentro da cristaleira também vibravam. Depois, novamente o silêncio se instalava; e então, noite após noite, e às vezes em pleno meio-dia, quando as rosas brilhavam e a luz desenhava nitidamente sobre a parede a sua forma, parecia haver nesse silêncio, nessa indiferença, nessa integridade, o baque de algo caindo.

[Uma granada explodiu matando vinte ou trinta jovens na França, entre eles Andrew Ramsay, cuja morte, misericordiosamente, fora instantânea.]

Naquela estação, aqueles que desceram para passear pela praia e perguntar ao mar e ao céu qual mensagem eles tinham a relatar ou que visão eles proclamavam precisaram considerar entre os símbolos usuais da generosidade divina – o pôr do sol no mar, a palidez da madrugada, a lua nascendo, os barcos de pesca contra a lua e as crianças fazendo tortas de barro ou atirando punhados de grama umas nas outras –, algo em desarmonia com essa alegria e essa serenidade. Houve o surgimento silencioso de um navio cinza, por exemplo, que veio e se foi; houve uma mancha arroxeada na superfície suave do mar, como se algo tivesse fervido e sangrado, invisível, lá embaixo. Essa intrusão em uma cena calculada para provocar as reflexões mais sublimes e levar às conclusões mais confortáveis manteve seu ritmo. Era difícil negligenciá-las; abolir seu significado na paisagem; continuar, à medida que se caminhava à beira-mar, a se maravilhar com o modo como a beleza exterior espelhava a beleza interior.

A natureza suplementou o progresso feito pelo homem? Completou o que ele começou? Com igual complacência, ela viu sua miséria, sua maldade e sua tortura. Esse sonho, de compartilhar, completar, de encontrar na solidão da praia uma resposta, era então somente um reflexo no espelho, e o espelho em si não era mais do que a superfície vítrea que se forma em repouso quando os

poderes mais nobres dormem embaixo? Impaciente, desesperada, mas sem vontade de ir (pois a beleza oferece seus atrativos, tem seus consolos), caminhar pela praia era impossível; a contemplação era insuportável; o espelho estava quebrado.
[O sr. Carmichael lançou um volume de poemas naquela primavera, que teve um sucesso inesperado. A guerra, disseram as pessoas, havia reavivado o interesse delas pela poesia.]

7

Noite após noite, no verão e no inverno, o tormento das tempestades, a quietude do bom tempo que assemelhava-se a uma flecha (se houvesse alguém para ouvir), dos cômodos superiores da casa vazia somente se ouvia um caos gigantesco raiado de relâmpagos que caíam e se agitavam, enquanto os ventos e as ondas se divertiam como as massas amorfas de leviatãs cujas frontes não são penetradas por nenhuma luz da razão, e montadas umas sobre as outras, e se lançavam e mergulhavam na escuridão ou na luz do dia (pois noite e dia, mês e anos corriam amorfos e juntos) em jogos idiotas, até parecer que o universo estava lutando e caindo em confusão bruta e luxúria desenfreada por si mesmo.

Na primavera, os vasos do jardim, casualmente cheios de plantas sopradas pelo vento, estavam alegres como sempre. Surgiram violetas e narcisos. Mas a quietude e o brilho do dia eram tão estranhos quanto o caos e o tumulto da noite, com as árvores aqui e as flores ali, olhando para a frente, olhando para cima, mas não vendo nada, sem olhos e tão terrível.

8

Pensando que isso não ia fazer mal, pois a família não ia voltar, nunca mais ia voltar, alguns diziam, e a casa talvez fosse vendida na Festa de São Gabriel Arcanjo, a sra. McNab se abaixou e pegou um ramo de flores para levar para casa. Ela colocou o ramalhete sobre a mesa enquanto tirava o pó. A sra. McNab gostava de flores. Seria um desperdício deixar tudo apodrecer. Supondo que a casa fosse vendida (ela estava com os braços nos quadris na frente do espelho), alguém ia precisar cuidar do lugar mesmo assim – sim, alguém ia precisar fazer isso. A casa esteve todos esses anos sem uma alma lá dentro. Os livros e as outras coisas estavam mofados, pois, com a guerra e a dificuldade de conseguir gente para trabalhar, ninguém limpou a casa como devia. Agora seria impossível que ela sozinha arrumasse tudo. Ela estava muito velha. As pernas doíam. Aqueles livros precisavam ser colocados na grama para pegar sol; havia gesso caído no corredor; a calha entupiu em cima da janela do escritório e entrou bastante água; o tapete estava praticamente arruinado. Mas os próprios donos deviam ter ido até lá; deviam ter mandado alguém para ver. Pois havia roupas nos armários; eles deixaram roupas em todos os quartos. O que ela devia fazer com aquelas roupas? Estava tudo com traças – as coisas da sra. Ramsay. Pobre senhora! Ela certamente não ia mais sentir falta daquilo. Tinha morrido, disseram eles; anos atrás, em Londres. Lá estava o velho manto cinza que ela usava para jardinagem (a sra. McNab tocou nele). Ela podia vê-la, enquanto subia a trilha com a roupa lavada, curvando-se sobre suas flores (o jardim era uma visão lamentável agora, uma confusão só, com coelhos saindo dos canteiros de flores); ela podia ver a sra. Ramsay com um dos filhos naquele manto cinza. Havia botas e sapatos; e uma escova e um pente deixados na penteadeira, como se ela esperasse voltar amanhã. (Ela morreu muito repentinamente, disseram.) E uma vez eles estavam por vir, mas adiaram, por causa da guerra, e viajar hoje era tão difícil; eles nunca voltaram em todos esses anos; só mandavam o dinheiro para ela; mas nunca escreveram, nunca vieram, e esperavam encontrar as coisas como tinham deixado, ah, meu Deus! Por que as gavetas da penteadeira estavam cheias de coisas (ela as abriu), lenços, pedaços de fita. Sim, ela podia ver a sra. Ramsay enquanto subia com a roupa lavada.

– Boa noite, sra. McNab – dizia ela.

Ela tinha um jeito agradável. Todas as meninas gostavam dela. Mas, meu Deus, tanta coisa mudou desde então (ela fechou a gaveta); muitas famílias perderam seus entes queridos. Então ela estava morta; e o sr. Andrew foi morto; e a srta. Prue também morreu, disseram, junto com o primeiro filho; mas todo mundo tinha perdido alguém nesses anos. Os preços subiram vergonhosamente e nunca voltaram a baixar. Ela podia muito bem se lembrar da sra. Ramsay em seu manto cinza.

– Boa noite, sra. McNab – dizia a sra. Ramsay, e mandava a cozinheira guardar um prato de sopa de leite para ela; achava que ela precisava bastante, depois de ter carregado aquela cesta pesada na ladeira desde a cidade. Ela podia vê-la agora, curvada sobre suas flores; e tênue e bruxuleante, como um feixe amarelo ou o círculo no final de um telescópio, uma senhora numa capa cinza, curvando-se sobre suas flores, foi vagando pela parede do quarto, pela penteadeira, pelo lavatório, enquanto a sra. McNab caminhava e claudicava, espanando, arrumando. E o nome da cozinheira como era? Mildred? Marian?, um nome assim. Ah, ela tinha esquecido, ela esquecia as coisas. Fogosa, como toda ruiva. Elas davam muita risada. Ela sempre foi bem-vinda na cozinha. Ela as fazia rir; fazia, sim. As coisas eram melhores do que agora. Ela suspirou; era muito trabalho para uma mulher. Ela balançou a cabeça para um lado e para o outro. Aqui era o quarto das crianças. Estava tudo úmido; o gesso estava caindo. O que eles queriam pendurando o crânio de um bicho lá? Aquilo mofou também. E ratos no sótão inteiro. A chuva entrou. Mas eles nunca mandaram ninguém; nunca vieram. Algumas fechaduras tinham desaparecido, por isso as portas batiam. Ela também não gostava de ficar ali sozinha ao anoitecer. Era demais para uma mulher, demais, demais. Ela rangeu, gemeu. Depois bateu a porta. Ela girou a chave na fechadura e deixou a casa sozinha, fechada, trancada.

9

A casa foi abandonada; a casa estava deserta. Foi deixada como uma concha num monte de areia para ser preenchida com grãos secos de sal, agora que a vida tinha ido embora dela. A longa noite parecia ter começado; o vento sutil, roendo, o hálito úmido, tateando, pareciam ter triunfado. A panela enferrujou e o tapete apodreceu. Sapos entraram na casa. Preguiçosamente, sem rumo, o xale oscilante balançava de um lado para o outro. Um cardo se enfiou entre os ladrilhos da despensa. As andorinhas aninharam-se na sala; o chão estava coberto de palha; o gesso caíra aos montes; vigas foram expostas; ratos carregavam isso e aquilo para roer atrás dos lambris. Borboletas-pavão eclodiram da crisálida e espalharam sua vida pela vidraça. Papoulas semearam-se entre as dálias; o gramado ondulava com a grama alta; alcachofras gigantes se erguiam entre as rosas; um cravo floresceu entre os repolhos; e enquanto isso a batida suave de ervas daninhas na janela tinha se tornado, nas noites de inverno, um tamborilar de árvores robustas e sarças espinhosas que deixavam toda a sala verde no verão.

Que poder seria capaz agora de impedir a fertilidade, a insensibilidade da natureza? O sonho da sra. McNab com uma mulher, uma criança, um prato de sopa de leite? Aquele sonho oscilou nas paredes como um ponto de luz do sol e desapareceu. Ela havia trancado a porta; ela tinha ido embora. Estava além da força de uma mulher, disse ela. Eles nunca mandaram ninguém. Nunca escreveram. Havia coisas apodrecendo nas gavetas – era uma pena deixar aquilo se perder assim, disse ela. O lugar estava em ruínas. Apenas o feixe do Farol entrava nos quartos por um momento, lançava seu olhar repentino sobre a cama e a parede na escuridão do inverno, olhava com equanimidade para o cardo e a andorinha, o rato e a palha. Nada agora opunha resistência a eles; nada lhes dizia não. Que o vento sopre; que a semente de papoula se polinize sozinha e que o cravo cruze com o repolho. Que a andorinha construa seu ninho na sala, que o cardo afaste os ladrilhos e que a borboleta tome seu sol sobre o tecido desbotado das poltronas. Que o vidro quebrado e a porcelana caiam no gramado e fiquem emaranhados com a grama e frutas silvestres.

 Pois agora havia chegado aquele momento, aquela hesitação diante da qual a madrugada estremece e a noite se detém, em que, caso uma pluma pousasse na balança, seu peso faria diferença. Uma pluma que fosse e a casa, afundando, caindo, teria girado e caído nas profundezas da escuridão. Na sala em ruínas, aqueles que desejavam fazer piquenique acenderiam suas chaleiras; os amantes procurariam ali um abrigo, deitados nas tábuas nuas; e o pastor guardaria seu jantar sobre os tijolos, e o mendigo dormiria envolto em seu casaco para se proteger contra o frio. Depois o telhado teria caído; sarças e cicutas teriam bloqueado o caminho, o degrau e a janela; teriam crescido, desigual mas vigorosamente sobre o monte, até que algum invasor, se perdendo, só por um atiçador em brasa entre as urtigas, ou um pedaço de porcelana na cicuta tivesse como dizer que ali outrora alguém vivera; que ali houve uma casa.

 Se a pluma tivesse caído, se tivesse inclinado a balança para baixo, toda a casa teria mergulhado nas profundezas e se deitado sobre as areias do esquecimento. Mas havia uma força trabalhando; algo não altamente consciente; algo que olhava maliciosamente, algo que oscilava; algo não inspirado a realizar seu trabalho com um ritual digno ou um canto solene. A sra. McNab gemia; a sra. Bast rangia. Elas eram velhas; elas estavam rígidas; suas pernas doíam. Elas finalmente chegaram com suas vassouras e baldes; elas começaram a trabalhar. De repente, a sra. McNab poderia deixar a casa pronta, uma das jovens escreveu: será que ela podia fazer isso; será que ela poderia fazer aquilo; tudo às pressas. Talvez eles aparecessem no verão; deixaram tudo para a última hora; agora achavam que iam encontrar as coisas como deixaram. Lenta e dolorosamente, com vassoura e balde, esfregando, esfregando, a sra. McNab e a sra. Bast detiveram a corrupção e a podridão; resgataram do charco do tempo que se fechava rapidamente sobre eles, ora uma bacia, ora um armário; retiraram do oblívio todos os romances de Waverley e um jogo de chá certa manhã; à tarde, restauraram ao sol e ao ar uma grade de latão e um conjunto de atiçadores. George, filho da sra. Bast, caçou os ratos e cortou a grama. Elas chamaram os pedreiros. Acompanhado pelo rangido das dobradiças e o gemido dos parafusos, as batidas e os golpes de madeira úmida e inchada, algum parto enferrujado e laborioso parecia estar ocorrendo, enquanto as mulheres, se inclinando, levantando, gemendo, cantando, batiam e fustigavam, escada acima agora, um instante depois no porão. Ah, elas diziam, o trabalho!

 Às vezes, elas bebiam chá no quarto ou no escritório; interrompendo o trabalho ao meio-dia com a sujeira no rosto e as mãos velhas presas e apertadas contra o cabo da vassoura. Sentadas em cadeiras, elas contemplavam num momento a magnífica conquista que impuseram às torneiras e à banheira; no outro o triunfo mais árduo, mais parcial, sobre longas filas de livros, negros como corvos antes, agora manchados de branco, criando pálidos cogumelos e escondendo aranhas furtivas. Uma vez mais, ao sentir o chá aquecê-la, o telescópio se ajustou aos olhos da sra. McNab, e em um anel de luz ela viu o velho cavalheiro, magro como um ancinho, sacudindo a cabeça, enquanto ela vinha com a roupa, falando sozinho, ela supôs, no gramado. Ele nunca a notou. Alguns diziam que ele tinha morrido; alguns diziam que ela tinha morrido. Qual deles teria sido? A sra. Bast também não tinha certeza. O jovem cavalheiro estava morto. Disso ela tinha certeza. Ela tinha lido o nome dele nos jornais.

E agora tinha a cozinheira, Mildred, Marian, um nome assim – uma ruiva de temperamento explosivo como toda ruiva, mas gentil também, se você soubesse lidar com ela. Elas tinham rido muito juntas. Ela guardava um prato de sopa para Maggie; um pedaço de presunto, às vezes; o que quer que tivesse sido servido. Elas viviam bem naquela época. Tinham tudo o que queriam (de forma leviana e jovial, com o chá quente dentro dela, ela desenrolou seu novelo de memórias, sentando-se na poltrona de vime perto da grade do quarto das crianças). Sempre tinha muita coisa para fazer, gente na casa, vinte pessoas hospedadas às vezes, e lavando louça até bem depois da meia-noite.

A sra. Bast (ela não conhecera a família, pois morava em Glasgow naquela época) se perguntou, colocando sua xícara na mesa, por que eles penduraram o crânio daquele bicho lá? Caçado em terras estrangeiras, sem dúvida.

Podia bem ser, disse a sra. McNab, remexendo em suas memórias; eles tinham amigos no Oriente; cavalheiros que se hospedavam lá, damas em trajes de gala; ela viu uma vez pela porta da sala de jantar, todos sentados jantando. Vinte pessoas, ela arriscaria, todos com joias, e ela pediu para ficar para ajudar a lavar a louça, talvez até depois da meia-noite.

Ah, disse a sra. Bast, eles iam encontrar tudo bem mudado. Ela se debruçou na janela. Observou seu filho George ceifar a grama. Eles podiam muito bem perguntar o que tinha acontecido com o gramado, vendo que o velho Kennedy devia estar encarregado disso, mas a perna dele ficou muito ruim depois que ele caiu do carrinho; e sem ninguém talvez por um ano, ou quase isso; e então Davie Macdonald, e talvez as sementes tenham sido enviadas, mas quem pode dizer se um dia elas foram plantadas? Eles iam achar muita coisa mudada.

Ela viu seu filho ceifar. Ele era ótimo para o trabalho – um daqueles sujeitos calmos. Bom, elas tinham que continuar com os armários. As duas se levantaram.

Por fim, depois de dias de trabalho dentro da casa, de dias podando e cavando do lado de fora, espanadores foram sacudidos das janelas, as janelas foram fechadas, as chaves foram viradas em toda a casa; a porta da frente foi batida; estava pronto.

E agora, como se a limpeza, a esfregação, o ceifar e o corte da grama tivessem afogado aquilo momentaneamente, ergueu-se de novo aquela melodia entreouvida, aquela música intermitente que o ouvido quase apanha mas deixa cair; um latido, um balido; irregular, intermitente, mas de alguma forma interligado; o zumbido de um inseto, o tremor da grama cortada, retirada do solo, mas que de alguma forma ainda fazia parte daquele lugar; o sobressalto de um besouro, o rangido de uma roda, alto, baixo, mas misteriosamente interligado; que o ouvido se esforça para transformar em algo uno e que está sempre à beira de harmonizar, mas eles nunca são totalmente ouvidos, nunca totalmente harmonizados e, finalmente, à noite, um após o outro os sons morrem, e a harmonia vacila, e o silêncio se estabelece. Com o pôr do sol, a nitidez se perdia e, como a névoa que sobe, o silêncio aumentava, o silêncio se espalhava, o vento parava; vagamente o mundo se sacudia para dormir, sombriamente aqui sem luz, exceto aquela que vinha verde e difusa em meio às folhas, ou empalidecida pelas flores brancas no canteiro perto da janela.

[Lily Briscoe teve sua mala carregada até a casa numa noite de setembro. O sr. Carmichael viera no mesmo trem.]

10

Então, de fato, a paz havia chegado. Mensagens de paz sopravam do mar para o litoral. Nunca mais para interromper seu sono, mas sim para acalmá-lo um pouco mais profundamente, favorecendo o descanso, e tudo aquilo com que os sonhadores sonhavam santamente, sonhavam sabiamente, para confirmar – o que mais havia naquele murmúrio – enquanto Lily Briscoe deitava a cabeça no travesseiro no quarto limpo e silencioso e ouvia o mar. Pela janela aberta, a voz da beleza do mundo passou murmurando, baixinho demais para ouvir exatamente o que ela dizia, mas que importância tinha se o significado era claro? Implorando àqueles que dormiam (a casa estava cheia de novo; a sra. Beckwith estava hospedada lá, e também o sr. Carmichael), que caso eles realmente não descessem para a praia que ao menos levantassem as persianas e olhassem para fora. Eles veriam então a noite fluindo em púrpura; sua cabeça coroada; seu cetro cravejado de joias; e que uma criança podia encará-la nos olhos. E se eles ainda hesitassem (Lily estava cansada da viagem e dormiu quase imediatamente; mas o sr. Carmichael leu um livro à luz de velas), se eles ainda dissessem que não, que era vapor, aquele esplendor da noite, e que o orvalho tinha mais poder do que ele, e que eles preferiram dormir; gentilmente então, sem reclamação ou discussão, a voz cantaria sua canção. Suavemente as ondas quebrariam (Lily as ouviu durante o sono); com ternura a luz caiu (parecia passar pelas pálpebras dela). E tudo parecia, o sr. Carmichael pensou, fechando seu livro, estar caindo no sono, como costumava parecer antes. Na verdade, a voz podia voltar, conforme as cortinas de escuridão se enrolavam sobre a casa, sobre a sra. Beckwith, o sr. Carmichael e Lily Briscoe de modo que eles se deitavam com várias camadas de escuridão em seus olhos, por que não aceitar isso, se contentar com isso, aquiescer e se resignar? O suspiro ritmado de todos os mares se quebrando em torno das ilhas os acalmou; a noite os envolveu; nada interrompeu seu sono até que, os pássaros começando a cantar e o amanhecer tecendo suas vozes finas na brancura de sua trama, uma carroça rangendo, um cachorro latindo em algum lugar, o sol levantou as cortinas, rompeu o véu em seus olhos, e Lily Briscoe se remexeu no sono. Ela se agarrou aos cobertores como um caçador se agarra à grama à beira de um penhasco. Seus olhos se arregalaram. Ali estava ela de novo, pensou, sentando-se ousadamente ereta na cama. Desperta.

PARTE III
O FAROL

1

O que isso significa então, o que isso tudo pode significar? Lily Briscoe se perguntou, tentando descobrir, já que ela tinha sido deixada sozinha, se cabia a ela ir à cozinha buscar outra xícara de café ou se devia esperar ali. O que tudo isso pode significar? – uma pergunta feita que, pinçada de um livro, meio que se encaixava nos pensamentos dela, pois ela não poderia, nessa primeira manhã com os Ramsay, definir seus sentimentos; conseguia apenas fazer com que um clichê ressoasse o suficiente para encobrir o vazio dos pensamentos até que esses vapores encolhessem. Pois de fato, o que ela sentia, voltando depois de todos esses anos e com a sra. Ramsay morta? Nada, nada – nada que conseguisse expressar de forma alguma.

Ela chegara tarde na noite anterior, quando tudo estava misterioso, escuro. Agora ela estava acordada em seu antigo lugar à mesa de café da manhã, mas sozinha. Era bem cedo, não passava das oito. Havia essa expedição – eles iriam ao Farol, o sr. Ramsay, Cam e James. Já deveriam ter partido, tinham que aproveitar a maré ou algo assim. E Cam não estava pronta, e James não estava pronto, e Nancy tinha esquecido de pedir os sanduíches, e o sr. Ramsay perdeu a paciência e saiu batendo a porta.

— De que adianta ir agora? — esbravejou ele.

Nancy tinha desaparecido. Lá estava ele, marchando para cima e para baixo no terraço, furioso. Parecia que dava para ouvir portas batendo e vozes gritando por toda a casa. Então Nancy irrompeu e perguntou, olhando pela sala, de um jeito meio tonto, meio angustiado: "O que se manda para o Farol?", como se ela estivesse se forçando a fazer algo que não tinha a menor esperança de conseguir.

O que se manda para o Farol, boa pergunta! Em qualquer outro momento, Lily poderia ter sugerido chá, tabaco, jornais, e isso seria razoável. Mas hoje tudo parecia tão extraordinariamente esquisito que uma pergunta como a de Nancy — "O que se manda para o Farol?" — abria portas na mente que se escancaravam e batiam de um lado a outro a ponto de deixá-la se perguntando, boquiaberta e estupefata: O que se deve mandar? O que se faz? Por que estou sentada aqui, afinal de contas?

Sentada sozinha (pois Nancy tinha saído de novo), acompanhada das xícaras limpas ao longo da mesa comprida, ela se sentiu isolada das outras pessoas, e apenas capaz de seguir observando, perguntando, imaginando. A casa, o lugar, a manhã, tudo lhe parecia estranho. Ela se sentia sem apegos, sem qualquer relação com aquilo, qualquer coisa poderia acontecer, e fosse lá o que de fato acontecesse — um passo do lado de fora, uma voz chamando ("não está no armário; está no térreo", alguém gritou) — soava como uma pergunta, como se a conexão que em geral mantinha as coisas unidas tivesse sido cortada, e elas flutuassem por aí, para cima, para baixo, para fora, de qualquer jeito. Como aquilo era inútil, caótico, irreal, pensou ela, olhando para a xícara vazia. A sra. Ramsay morta; Andrew morto; Prue também — por mais que ela repetisse, isso não despertava sentimento algum nela. E nós todos nos reunimos numa casa como esta numa manhã como esta, disse ela, olhando pela janela. Era um belo dia tranquilo.

2

Subitamente, o sr. Ramsay ergueu a cabeça ao passar e olhou direto para ela, com seu olhar selvagem e perturbado que ao mesmo tempo era tão penetrante, como se ele a visse, por um instante, pela primeira vez, para sempre; e ela fingiu beber da xícara vazia para escapar dele – para escapar do que ele pediria a ela, para deixar de lado por um momento a mais aquela necessidade imperiosa. E ele balançou a cabeça para ela e seguiu marchando ("Em solidão", ela o ouviu dizer, "Perecemos", ela o ouviu dizer), e como tudo o mais naquela manhã estranha, as palavras se tornaram símbolos, inscreveram-se ao longo de cada parede verde acinzentada. Se ela conseguisse reunir aquelas palavras, era a impressão dela, se pudesse escrevê-las na forma de frase, ela teria chegado à verdade das coisas. O velho sr. Carmichael entrou com passos suaves, se serviu de café, tomou sua xícara e partiu para o sol. A extraordinária irrealidade era assustadora; mas também era empolgante. Ir ao Farol. Mas o que se manda para o Farol? Perecemos. Em solidão. A luz verde acinzentado na parede oposta. As cadeiras vazias. Essas eram algumas das partes, mas como reunir isso numa coisa só?, perguntava-se ela. Como se qualquer interrupção fosse quebrar a forma frágil que ela estava construindo sobre a mesa, ela virou as costas para a janela para que o sr. Ramsay não a visse. Ela precisava escapar para algum lugar, ficar sozinha em algum lugar. De súbito ela se lembrou. Da última vez que se sentara ali, dez anos atrás, havia um desenho de raminhos ou folhas na toalha da mesa, que ela encarou em algum momento de revelação. Havia um problema com o primeiro plano de uma tela. Mover a árvore para o centro, dissera ela. Ela nunca chegou a terminar aquele quadro. Ela o pintaria agora. Ele ficou martelando em sua cabeça por todos aqueles anos. Onde estavam suas tintas?, perguntou-se. Suas tintas, sim. Ela deixara no vestíbulo na noite anterior. Lily ia começar já. Ela se levantou rápido, antes que o sr. Ramsay se virasse.

Lily pegou uma cadeira. Ela montou o cavalete com seus movimentos precisos de solteirona na beira do gramado, não perto demais do sr. Carmichael, mas perto o suficiente para que ele estivesse protegido. Sim, deve ter sido exatamente ali que ela havia ficado dez anos antes. Ali estavam a parede; a cerca-viva; a árvore. A dúvida era a relação entre alguns desses volumes. Ela ficou com isso na cabeça por todos esses anos. Parecia que a solução tinha lhe ocorrido: agora ela sabia o que queria fazer.

Mas com o sr. Ramsay intimidador daquele jeito ela não tinha como fazer nada. Cada vez que ele se aproximava – ele ia para cá e para lá no terraço – a ruína se aproximava, o caos se aproximava. Lily não conseguia pintar. Ela se inclinava, se virava; pegava esse pano; apertava aquele tubinho. Mas isso mal o mantinha longe por um momento. Ele impossibilitava que ela fizesse qualquer coisa. Pois se ela lhe desse a menor chance, se ele a visse se distrair por um momento, se a visse olhar para ele por um átimo, ele estaria em cima, dizendo como dissera na noite passada: "Você vai notar que nós mudamos muito". Na noite passada ele se levantou e parou na frente dela e disse isso. Por mais que estivessem todos sentados, mudos e de olhar vidrado, os seis filhos que eles chamavam pelos nomes dos reis e rainhas da Inglaterra – o Ruivo, a

Bela, o Perverso, o Cruel –, ela sentia como eles ficavam furiosos por isso. A boa e velha sra. Beckwith disse algo sensato. Mas era uma casa cheia de paixões desconexas – ela sentiu isso a noite toda. E para completar todo esse caos, o sr. Ramsay se levantou, segurou a mão dela e disse: "Você vai notar que nós mudamos muito", e nenhum deles se moveu, nenhum deles falou; eles ficaram parados ali como se fossem obrigados a deixá-lo dizer aquilo. Só James (com certeza o Melancólico) fez uma carranca na direção de uma luminária; enquanto Cam torcia seu lenço ao redor do dedo. Então ele lembrou aos filhos que eles iam ao Farol no dia seguinte. Eles deviam estar prontos, no vestíbulo, às sete e meia em ponto. Então, com a mão na porta, ele parou; virou-se para eles. Eles não queriam ir?, perguntou. Se ousassem dizer não (ele tinha certo motivo para desejar isso), ele se atiraria para trás de forma trágica, nas profundezas amargas do desespero. Que dom ele tinha para o dramático. Parecia um rei exilado. Com obstinação, James disse que sim. Cam balbuciou, um pouco mais infeliz. Sim, ah, sim, ambos estariam prontos, eles disseram. E foi quando ocorreu a ela, uma tragédia era isso – não eram mortalhas, terra e sudários; mas filhos coagidos, seus espíritos dominados. James tinha dezesseis anos, Cam talvez dezessete. Ela olhou em volta procurando alguém que não estava ali, presumivelmente a sra. Ramsay. Mas havia apenas a boa sra. Beckwith folheando seus esboços sob o abajur. Então, cansada, sua mente ainda subindo e descendo com o oceano, com o sabor e o cheiro que os lugares têm depois de uma longa ausência a possuindo, as velas bruxuleando em seus olhos, Lily se perdeu e afundou. Era uma noite maravilhosa, estrelada; as ondas soavam como se estivessem no andar de cima; a lua os surpreendeu, enorme, pálida, ao passarem pela janela da escada. Ela dormiu imediatamente.

    Ela colocou sua tela em branco sobre o cavalete, como se fosse uma barreira – frágil, mas ela esperava que substancial o suficiente para manter à distância o sr. Ramsay e suas exigências. Quando ele estava de costas, ela dava o seu melhor para olhar o seu quadro; aquela linha ali, aquela massa acolá. Mas estava fora de cogitação. Mesmo que ele estivesse a quinze metros de distância, mesmo que ele nem lhe dirigisse a palavra, mesmo que ele nem a visse – ele permeava, prevalecia, se impunha. Ele mudava tudo. Ela não conseguia ver a cor; não conseguia ver as linhas; mesmo com ele de costas para ela, ela só conseguia pensar, "Mas ele vai vir na minha direção daqui a um instante, exigindo algo que ela sentia que não podia lhe dar". Ela rejeitava um pincel; escolhia outro. Quando aquelas crianças iam aparecer? Quando todos eles partiriam? Ela se agitava. Aquele homem, pensou, a raiva crescendo dentro dela, nunca doava algo; aquele homem só tomava. Ela, por outro lado, seria forçada a se doar. A sra. Ramsay havia se doado. Se doando, se doando, se doando, ela morreu – e deixou tudo isso. Na realidade, ela estava irritada com a sra. Ramsay. Com o pincel tremendo de leve em seus dedos, ela olhou a cerca-viva, o degrau, a parede. Tudo feito pela sra. Ramsay. Ela estava morta. Ali estava Lily, aos quarenta e quatro anos, perdendo tempo, incapaz de fazer qualquer coisa, parada ali, brincando de pintar, brincando com a única coisa com que não se deve brincar, e tudo era culpa da sra. Ramsay. Ela estava morta. O degrau onde ela costumava se sentar estava vazio. Ela estava morta.

Mas por que repetir isso de novo e de novo? Por que tentar sempre trazer à tona um sentimento que ela nunca teve? Havia uma espécie de blasfêmia nisso. Tudo estava seco: tudo murcho: tudo gasto. Eles não deviam tê-la convidado; ela não devia ter aceitado. Não se pode perder tempo aos quarenta e quatro anos, pensou ela. Ela odiava brincar de pintar. Um pincel, a única coisa confiável num mundo de disputas, ruínas, caos – você não deveria brincar com isso, mesmo que de maneira consciente: ela detestava aquilo. Mas ele a obrigou. Você não vai tocar na sua tela – ele parecia dizer, se aproximando dela – até me dar o que eu quero de você. Lá estava ele, aproximando-se dela de novo, ganancioso, perturbado. Bem, Lily pensou em desespero, deixando a mão direita cair ao seu lado, seria mais fácil acabar logo com isso. Certamente ela conseguia imitar de memória o brilho, a rapsódia, a entrega de si, que vira no rosto de tantas mulheres (no rosto da sra. Ramsay, por exemplo) quando num momento como esse elas resplandeciam – ela conseguia se lembrar da expressão do rosto da sra. Ramsay – num arroubo de simpatia, de deleite pela recompensa que recebiam, que, embora o motivo lhe escapasse, evidentemente lhes conferia a mais suprema graça de que era capaz a natureza humana. Lá estava ele, parado ao seu lado. Ela doaria a ele o que pudesse.

3

Ela parecia ter enrugado um pouco, pensou ele. Ela era pequena, parecia frágil; mas não deixava de ser atraente. Ele gostava dela. Uma vez circularam boatos de que ela ia se casar com William Bankes, mas aquilo não deu em nada. A esposa dele gostava dela. Ele ficou um pouco fora de si no café da manhã. E depois, e depois... Este era um dos momentos em que uma necessidade enorme o incitava, sem que ele entendesse bem qual era essa necessidade, a se aproximar de qualquer mulher, a forçá-la – ele não ligava para o modo como faria isso, tamanha era a necessidade – a lhe dar o que ele queria: empatia.

Tinha alguém cuidando dela?, quis saber. Ela tinha tudo que queria?

– Ah, tenho sim, obrigada – disse Lily Briscoe nervosa. Não; ela não tinha como fazer aquilo. Ela devia ter oferecido imediatamente uma onda expansiva de compreensão: a pressão sobre ela era tremenda. Mas ela não conseguiu sair do lugar. Houve uma pausa horrível. Ambos olharam para o mar. Por que, pensou o sr. Ramsay, ela olharia para o oceano quando eu estou aqui? Ela torcia que a água estivesse calma o suficiente para que eles aportassem no Farol, disse ela. O Farol! O Farol!

O que o Farol tem a ver com a história toda?, pensou ele impaciente. No mesmo momento, com a força de um redemoinho primitivo (pois de fato ele não conseguia mais se conter), ele grunhiu de um jeito que qualquer outra mulher no mundo teria feito algo, dito algo – todas menos eu, pensou Lily, zombando de si mesma com amargura, que não sou uma mulher, mas uma solteirona rabugenta, mal-humorada e seca por dentro, presumivelmente.
  O sr. Ramsay deu um longo suspiro. Esperou. Ela não ia dizer nada? Será que ela não via o que ele queria dela? Então ele disse que tinha um motivo particular para querer ver o Farol. Sua esposa costumava mandar coisas para os homens de lá. Havia um pobre garoto tuberculoso, o filho do sujeito que cuidava do farol. Ele suspirou profundamente. Suspirou significativamente. Tudo o que Lily desejava era que essa imensa inundação de pesar, essa fome insaciável por compaixão, essa exigência de que ela se entregasse a ele por inteira, e ainda que ele tivesse mágoas suficientes para manter um fluxo contínuo por uma vida inteira, fosse embora, fosse desviada (ela seguia olhando para a casa, esperando uma interrupção) antes que a torrente dele a derrubasse.
  – Essas expedições – disse o sr. Ramsay, riscando a terra com a ponta do sapato – são muito dolorosas. – Ainda assim, Lily não disse nada. (Ela é uma pedra, ela é uma estátua, ele disse a si mesmo.) – São muito exaustivas – continuou ele, olhando suas belas mãos, com um ar doentio que a nauseou (ele estava encenando, ela sentia, esse grande homem estava dramatizando). Era horrível, era indecente. Será que os filhos não chegariam nunca?, perguntou-se ela, pois não conseguia aguentar esse enorme peso de angústia, sustentar essas tapeçarias pesadas de luto (ele assumira uma pose de decrepitude extrema; chegou mesmo a cambalear um pouco parado ali), nem por um minuto a mais.
  Ela ainda não conseguia dizer nada; o horizonte inteiro parecia varrido, vazio de assuntos sobre os quais falar; ela apenas conseguia sentir, perplexa, com sr. Ramsay parado ali,

como o olhar dele parecia pousar com tristeza sobre a grama ensolarada e arrancar toda a sua cor, lançando sobre a figura rubicunda, sonolenta e plenamente satisfeita do sr. Carmichael, que lia um romance francês numa espreguiçadeira, um manto de luto, como se aquela existência, ostentando sua prosperidade num mundo de pesares, fosse o suficiente para provocar os pensamentos mais sinistros possíveis. Olhe só para o sujeito, ele parecia dizer, olhe só para mim; e, de fato, durante todo aquele tempo, o que ele sentia era: pense em mim, pense em mim. Ah, se aquele fardo pudesse ser atirado para longe deles, Lily desejou; ah, se ela tivesse montado o cavalete um metro ou dois mais perto dele; um homem, qualquer homem, estancaria essa efusividade, faria parar essas lamentações. Como mulher, ela provocara esse horror; como mulher, ela deveria saber como lidar com aquilo. Era um imenso descrédito para alguém de seu sexo ficar ali parada, muda. Ela devia dizer – o que ela devia dizer? – Oh, sr. Ramsay! Pobre sr. Ramsay! Era isso que a boa senhora que desenhava teria dito de imediato, e com razão. Mas não. Eles ficaram ali, isolados do restante do mundo. A imensa autopiedade dele, sua exigência por compaixão se derramava e se espalhava em poças aos pés deles, e tudo que ela fazia, pobre pecadora que era, era levantar um pouco a barra da saia, até acima dos tornozelos, para não se molhar. Ela ficou ali em silêncio completo, segurando seu pincel.

Nunca haveria como agradecer o suficiente aos céus! Ela ouviu sons dentro da casa. James e Cam deviam estar a caminho. Mas o sr. Ramsay, como se soubesse que seu tempo estava terminando, exerceu sobre a figura solitária de Lily a pressão imensa de sua angústia concentrada; sua idade; sua fragilidade; sua desolação; quando de súbito, movendo a cabeça sem paciência e irritado – afinal de contas, que mulher poderia resistir a ele? –, ele notou que os cadarços das botas estavam desamarrados. Eram botas notáveis, inclusive, Lily pensou, baixando os olhos para elas: esculturais; colossais; como tudo que o sr. Ramsay usava, desde a gravada puída até o colete abotoado pela metade, eram a cara dele. Ela conseguia ver as botas subindo até o quarto dele por vontade própria, expressivas perante a ausência de empatia, mau humor, grosseria e encanto de seu dono.

– Que botas bonitas! – exclamou Lily. Ela teve vergonha de si. Elogiar botas quando ele pedia que lhe consolasse a alma; enquanto ele mostrava as mãos sangrando, o coração lacerado, e lhe pedia piedade, ela dizia com animação: "Ah, mas que botas bonitas você está usando!", era algo que merecia, ela sabia, os rugidos súbitos e mal-humorados de aniquilação total dele, e ela ergueu os olhos esperando ouvi-los.

Ao invés disso, o sr. Ramsay sorriu. Sua fraqueza, o luto, as enfermidades, tudo se afastou dele. Ah, claro, disse ele, erguendo o pé para que ela olhasse, eram botas de primeira. Só existia um homem na Inglaterra inteira que conseguia fazer esse tipo de bota. As botas eram uma das maiores pragas da humanidade, disse ele. "O único objetivo da vida de um sapateiro", exclamou ele, "é deformar e torturar o pé humano". Os sapateiros eram os mais obstinados e perversos seres humanos. Ele demorou a maior parte da juventude para conseguir botas feitas do jeito certo. Ele chamou a atenção dela para o fato de que (ele levantou o pé direito e depois o esquerdo) ela nunca tinha visto botas feitas com aquele tipo de forma antes. Feitas do couro mais fino no mundo, aliás. A maior parte dos couros por aí era só papel pardo e papelão. Ele olhou com complacência para o próprio pé, ainda levantado. Eles tinham chegado, era a impressão dela, a uma ilha ensolarada onde havia paz, a sanidade reinava e o sol brilhava sempre, a abençoada ilha das boas botas. O coração dela se aqueceu.

– Agora quero ver se você sabe amarrar um cadarço – disse ele. Ele desdenhou do sistema frágil dela. Depois, mostrou a ela sua própria invenção. Uma vez amarrado, o nó nunca se desfazia. Ele amarrou o sapato dela três vezes; três vezes, ele desfez o nó.

Por que, nesse momento completamente inapropriado, quando ele estava se inclinando sobre seu sapato, ela se sentiria tão atormentada pela empatia que sentia por ele, a ponto de, ao se abaixar também, o sangue subir ao seu rosto e, pensando em sua própria insensibilidade (ela o chamara de ator), ela sentir os olhos incharem e arderem com lágrimas? Ocupado daquele modo, ele pareceu a ela uma figura de empatia infinita. Ele fazia nós. Comprava botas. Não havia como ajudar o sr. Ramsay na jornada que ele faria. Mas agora – bem quando desejava dizer algo, poderia dizer algo, talvez – lá estavam eles: Cam e James. Eles surgiram no terraço. Vieram, lentos, lado a lado, uma dupla séria e melancólica.

Mas por que eles vinham *assim*? Ela não conseguia conter sua irritação com eles; eles poderiam vir com mais animação; agora que partiriam, poderiam dar ao sr. Ramsay o que ela não teria oportunidade de dar. Pois ela sentiu um vazio súbito; uma frustração. O sentimento viera tarde demais; lá estava, pronto; mas ele não precisava mais da compaixão. Ele se tornou um idoso muito distinto, sem a menor necessidade dela. Ela se sentiu esnobada. O sr. Ramsay lançou uma mochila por cima dos ombros. Distribuiu os pacotes – havia vários deles, mal amarrados em papel pardo. Mandou Cam buscar uma capa. Ele tinha todo o ar de um líder se preparando para uma expedição. Então, dando a volta, ele abriu o caminho com seus passos militares firmes, pisando com aquelas botas excepcionais, carregando pacotes de papel pardo, descendo pela trilha, seguido pelos filhos. Era como se, pensou ela, o destino lhes enviasse em uma aventura rigorosa, e eles se lançavam a ela, ainda jovens o suficiente para serem arrastados atrás do pai, obedientes, mas com uma palidez nos olhos que a levava a pensar que eles sofreram em silêncio além do que a idade deles permitia imaginar. Assim eles atravessaram o gramado, e Lily se sentiu observando o passar de uma procissão impulsionada por alguma tensão de sentimentos comuns que a transformava, por mais vacilante e trôpega que fosse, em uma pequena companhia unida e estranhamente impressionante. O sr. Ramsay ergueu a mão e a saudou com educação, mas distante, ao passar por ela.

Mas que rosto, pensou ela, percebendo imediatamente que a tal simpatia que ninguém lhe pedia estava atormentando-a para se expressar. O que o deixou daquele jeito? Pensar, noite após noite, supôs ela, sobre a realidade de mesas de cozinha, acrescentou ela, lembrando-se do símbolo que Andrew lhe ofereceu quando ela tentava vagamente compreender qual era o assunto em que o sr. Ramsay pensava. (Andrew morreu instantaneamente com um estilhaço de granada, passou pela cabeça dela.) A mesa da cozinha era algo visionário, austero; algo nu, duro, não ornamental. Não tinha mais cor; era toda cantos e ângulos; era inflexivelmente comum. Mas o sr. Ramsay tinha sempre os olhos fixos nela, nunca se permitia ser distraído ou iludido, até seu rosto também ficar gasto e ascético e compartilhar dessa beleza não ornamental que a impressionava tanto. Depois, ela se lembrou (parada onde ele a deixara, segurando o pincel) que preocupações haviam desgastado o seu rosto – não tão nobres. Ele deveria ter tido suas dúvidas sobre aquela mesa, imaginava ela; se a mesa era uma mesa real; se valia o tempo que ele dispensava a ela; se ele era de fato capaz de encontrá-la. Ele teve dúvidas, ela sentia – do contrário, teria exigido menos das pessoas. Era disso que eles falavam até tarde da noite às vezes, suspeitava; e então no dia seguinte a sra. Ramsay parecia cansada, e Lily se irava com ele por alguma coisinha absurda. Mas agora ele não tinha ninguém com quem falar sobre a mesa, ou sobre as botas, ou sobre seus cadarços; e ele era como um leão buscando alguém para devorar, e seu rosto tinha aquele toque de desespero, de exagero, que a alarmava, e a fazia levantar a barra da saia. E então, lembrou-se ela, houve aquela ressurreição súbita, aquela faísca súbita (quando ela elogiou as botas), aquela recuperação súbita de vitalidade e interesse por coisas humanas comuns, que também passavam e mudavam (pois ele estava sempre mudando, e não escondia nada), o momento em que ele entrou naquela outra fase final, que era nova para ela, e que a envergonhou de sua própria ira, admitia ela; quando pareceu que ele se despojou de preocupações e ambições, e a esperança de compaixão e o desejo por aprovação entraram em alguma outra região, como se ele fosse movido por curiosidade, num colóquio mudo, consigo mesmo ou com outrem, na liderança daquela pequena procissão, já fora de alcance. Um rosto extraordinário! O portão bateu.

4

Saíram, pensou ela, suspirando com alívio e decepção. Sua compaixão parecia atingi-la de volta na face, como um galho de espinheiro depois de ser empurrado para longe. Ela se sentia dividida, curiosamente, como se uma parte dela fosse atraída lá para fora – era um dia tranquilo, nublado; o Farol parecia estar a uma distância imensa naquela manhã; e a outra parte se fixara com persistência e solidez ali no gramado. Lily via a tela como se aquilo tivesse flutuado e se empoleirado exatamente diante dela, branca e intransigente. A tela parecia repreendê-la em seu olhar frio por sua pressa e agitação; essa loucura e desperdício de emoção; de forma drástica, a tela trouxe Lily de volta e estendeu em sua mente primeiro uma paz, enquanto as sensações desordenadas (ele se fora e ela sentiu muito por ele, e ela não havia dito nada) partiam para o campo; e depois, um vazio. Ela olhou inexpressiva para a tela, que a encarava de volta com seu branco intransigente; e da tela para o jardim. Havia algo (ela levantou apertando os olhinhos puxados em seu rosto enrugado), algo de que ela se lembrava na relação das linhas que se cruzavam e dividiam, e no volume das sebes com sua caverna verde de azuis e marrons, que ficara em sua memória; algo que deu um nó na sua mente, de forma que, em ocasiões involuntárias – ao descer pela estrada de Brompton, ao escovar o cabelo – ela se via pintando esse quadro, passando os olhos por ele, desfazendo o nó na imaginação. Mas havia uma diferença gigante entre o conjecturar aéreo longe da tela e o de fato reunir suas tintas e dar a primeira pincelada. Em sua agitação pela presença do sr. Ramsay, ela pegara o pincel errado e havia enfiado o cavalete com nervosismo tão fundo na terra que agora ele estava no ângulo errado. E agora que ela tinha ajeitado isso, e ao fazê-lo tinha sufocado as impertinências e irrelevâncias que roubavam sua atenção e a faziam pensar como ela era uma pessoa assim e assado, que fazia tal e tal coisa com as pessoas, ela pegou a mão e ergueu o pincel. Por um momento a mão dela tremulou num êxtase doloroso, mas emocionante. Onde começar? Esta era a pergunta, onde dar a primeira pincelada? Uma única linha traçada comprometia Lily com uma quantidade infinita de perigos, com decisões frequentes e irrevogáveis. Tudo aquilo que parecia simples em teoria se complicava de imediato na prática; assim como as ondas se desenham com simetria do topo do penhasco, mas parecem divididas por golfos profundos e cristas espumantes ao nadador que está no meio delas. Ainda assim, é preciso correr o risco; é preciso traçar a linha.

Com uma curiosa sensação física, como se incitada a ir em frente e a se conter ao mesmo tempo, ela deu a primeira pincelada rápida e decisiva. O pincel desceu. Cintilou em marrom sobre a tela branca; deixou um traço longo. Ela fez o movimento uma segunda vez, uma terceira. E assim entre pausas e cintilações, ela alcançou um movimento rítmico dançante, como se as pausas fossem uma parte do ritmo e os traços, outra, e ambas estavam enlaçadas; e, assim, com pausas leves e ágeis, pintando, ela marcava a sua tela com nervosas e longas linhas marrons que mal eram traçadas e já delineavam (ela podia sentir aquilo se assomando sobre ela) um espaço. Nas profundezas do oco de uma onda, a onda seguinte aparecia crescendo cada vez mais acima de sua cabeça. Afinal o que poderia ser mais formidável do que aquele espaço? Lá estava ela de novo, pensou, dando um passo para trás para olhar aquilo tudo, arrancada das fofocas, da vida, da comunhão com pessoas e posta na presença dessa formidável inimiga sua – essa coisa outra, essa verdade, essa realidade, que de súbito colocava as mãos nela, emergia austera por trás das aparências e exigia sua atenção. Ela estava meio resistente, meio relutante. Por que sempre ser atraída e puxada para longe? Por que não ficar em paz, para conversar com o sr. Carmichael no gramado? De toda maneira, era uma forma de relação laboriosa. Outros objetos de adoração se contentavam com o culto; homens, mulheres, Deus, todos deixavam que os outros se prostrassem de joelhos; mas essa forma, mesmo que fosse a forma de um quebra-luz claro sobre uma mesa de vime, levava a pessoa ao combate perpétuo, desafiava a uma luta destinada à derrota. Sempre (estava em sua natureza, ou na de seu sexo, ela não sabia qual), antes de trocar a fluidez da vida pela concentração da pintura, ela tinha poucos momentos de nudez em que se parecia com uma alma por nascer, uma alma destituída de corpo que hesita num cume em ventania e se expõe sem proteção a todas as rajadas de dúvidas. Então por que ela fazia isso? Lily olhou para a tela, já marcada de leve com traços longos. Aquilo seria pendurado no quarto das empregadas. Seria fechado em rolo e socado sob um sofá. Qual era o sentido de pintar, então, e ela ouviu uma voz dizer que ela não conseguia pintar, não conseguia criar, como se tragada por alguma dessas correntezas habituais que a experiência cria na cabeça depois de certo tempo, de forma que a pessoa repete palavras sem ter mais noção de quem as disse originalmente.

    Não sabe pintar, não sabe escrever, ela murmurou com monotonia, considerando com ansiedade qual deveria ser o plano de ataque. Pois a massa se agigantava diante dela; sobressaía-se; ela a sentia pressionar seus globos oculares. Então, como se algum fluido necessário para lubrificação do raciocínio tivesse brotado do nada, ela começou a mergulhar precariamente o pincel por entre os azuis e castanhos, levando-o de um lado para o outro, mas agora com mais peso, ele se movia mais devagar, como se harmonizado com um ritmo ditado a ela (que continuava a olhar para a sebe, para a tela) pelo compasso que era forte o suficiente para embalá-la junto em sua corrente. Com certeza, ela estava perdendo a consciência das coisas exteriores. E à medida que ela perdia a consciência das coisas exteriores, e de seu nome, de sua personalidade e de sua aparência, e se o sr. Carmichael estava ali ou não, sua mente seguia a arrancar de suas profundezas, jorrando para cima, cenas, nomes, ditados, memórias e ideias, como uma fonte que esguicha sobre aquele espaço branco flagrante e pavorosamente difícil, enquanto ela o modelava com verdes e azuis.

Charles Tansley dizia, ela lembrou, que as mulheres não conseguem pintar, não conseguem escrever. Surgindo pelas suas costas, ele parava atrás dela – algo que ela odiava – enquanto ela pintava naquele exato lugar. "Que tabaco ruim", disse ele, "e ainda é caro", desfilando sua pobreza, seus princípios. (Mas a guerra lhe havia aliviado a ferroada de sua feminilidade. Pobres diabos, pensava, pobres diabos de ambos os sexos.) Ele sempre levava um livro debaixo do braço – um livro roxo. Ele "trabalhava". Sentava, ela se lembrava, para trabalhar sob o sol. No jantar, ele se sentava bem no meio da mesa, à vista. Mas, refletia ela, afinal de contas, houve a cena na praia. Era importante se lembrar disso. Era uma manhã de vento. Todos tinham ido à praia. A sra. Ramsay se sentou para escrever cartas perto de uma pedra. Ela escrevia e escrevia. "Oh", disse ela, erguendo a cabeça para algo flutuando no mar, "é um cesto para pegar lagostas? É um barco virado?" Ela era tão míope que não conseguia enxergar, e então Charles Tansley ficou o mais gentil que podia. Ele começou a brincar de lançar pedrinhas na superfície da água. Eles escolhiam pedrinhas pretas chatas e as lançavam deslizando pela superfície da água. De vez em quando, a sra. Ramsay olhava por cima dos óculos e ria deles. Ela não conseguia se lembrar do que eles falavam, apenas de ela e Charles lançando pedras e de súbito se dando muito bem, com a sra. Ramsay assistindo. Ela tinha plena consciência disso. A sra. Ramsay, pensou ela, dando um passo para trás e apertando os olhos. (Ela sentada no degrau com James devia alterar bastante o desenho. Devia ter projetado uma sombra.) Quando ela pensava na cena toda da praia e nela e em Charles lançando pedrinhas, tudo parecia depender de alguma forma da sra. Ramsay sentada junto da pedra, com um bloquinho no colo, escrevendo cartas. (Ela escrevia inúmeras cartas, e às vezes o vento as levava, e Lily e Charles haviam acabado de salvar uma folha do mar.) Mas quanto poder havia na alma humana!, pensou ela. Aquela mulher sentada ali escrevendo perto da pedra tornava tudo simples; fazia a raiva e a irritação se esfarraparem como trapos velhos; ela unia tudo isso, e então aquilo e aquele outro, e depois transformava aquele rancor e aquela tolice miseráveis (ela e Charles discutindo, brigando, sendo tolos e odiosos) em algo – essa cena na praia, por exemplo, esse momento de amizade e afeição – que sobrevivia após todos esses anos, de forma que ela ainda retornava àquilo para remoldar a memória que tinha dele, e permanecia na mente quase como uma obra de arte.

– Como uma obra de arte – repetiu ela, olhando da tela para os degraus da sala de visitas e voltando. Ela precisava descansar por um instante. E, descansando, olhando de um para o outro com vaguidão, a velha pergunta que perpetuamente atravessava o céu da alma, a vasta pergunta geral que se particularizava em momentos assim, quando ela libertava capacidades que andavam tensionadas, erguendo-se acima dela, pausando sobre ela, projetando uma sombra. Qual era o sentido da vida? Isso era tudo – uma pergunta simples; uma pergunta que tende a se tornar mais importante para a pessoa ao longo dos anos. A grande revelação nunca viera. A grande revelação talvez nunca viesse. Em vez disso, havia pequenos milagres diários, iluminações, fósforos riscados inesperadamente no escuro; eis aqui um deles. Isso, aquilo e aquele outro; ela e Charles Tansley e a onda quebrando; a sra. Ramsay os unindo; a sra. Ramsay dizendo: "A vida para aqui"; a sra. Ramsay transformando o momento em algo permanente (como em outra esfera, a própria Lily tentava transformar o momento em algo permanente), isso era da natureza de uma revelação. Em meio ao caos, havia uma forma; esse passar e fluir eterno (ela olhava para as nuvens indo e o mover das folhas) ficava emperrado na instabilidade. A vida para aqui, disse a sra. Ramsay. "Sra. Ramsay! Sra. Ramsay!", repetiu ela. Lily devia tudo aquilo a ela. Tudo era silêncio. Ninguém ainda parecia se mover na casa. Ela observou a casa dormindo sob os raios de sol matinais, com as janelas verdes e azuis e os reflexos das folhas. As ideias fugazes sobre a sra. Ramsay pareciam combinar com essa casa silenciosa; essa neblina; esse ar fino da manhã. Fraco e irreal, era incrivelmente puro e empolgante. Ela esperava que ninguém abrisse a janela ou saísse, e que ela pudesse ficar em paz pensando, seguindo na pintura. Ela se virou para a sua tela. Mas, impelida por alguma curiosidade, levada pelo desconforto da compaixão que mantinha engatilhada, ela deu um passo ou dois na direção da borda do gramado para ver se – um pouco mais abaixo, na praia – ela conseguia avistar a pequena companhia partir. Lá, entre barquinhos flutuantes, alguns com velas enfunadas, alguns se afastando devagar, pois estava muito calmo, havia um mais distante dos outros. Eles içavam a vela naquele momento. Ela decidiu que o sr. Ramsay estava sentado com Cam e James naquele barquinho muito distante e totalmente silencioso. Agora eles tinham levantado a vela; então, depois de um tremular silencioso, ela observou o barco tomar seu caminho deliberadamente, passando os outros barcos, mar adentro.

5

As velas tremulavam sobre suas cabeças. A água murmurava e batia nas laterais da embarcação, que repousava imóvel sob o sol. De vez em quando as velas ondulavam com um pouco de brisa, mas a ondulação as atravessava e cessava. O barco não tinha movimento algum. O sr. Ramsay estava sentado no meio do barco. Ele ia perder a paciência dali a um minuto, pensou James, e Cam pensou, olhando para o pai, sentado no barco entre eles dois (James no leme; Cam sozinha na proa), com as pernas cruzadas se apertando. Ele odiava ficar parado. Naturalmente, depois de se agitar por um segundo ou dois, ele disse algo cortante para o menino do Macalister, que pegou os remos e começou a remar. Mas o pai deles, eles sabiam, só se contentaria quando eles estivessem deslizando sobre as águas. Ele continuaria procurando uma brisa, se agitando, resmungando entredentes coisas que Macalister e o filho ouviriam, e ambos ficariam terrivelmente desconfortáveis. Ele os fizera vir. Forçara os dois a vir. Com raiva, os dois esperavam que a brisa nunca chegasse, que ele se frustrasse de todas as formas possíveis, já que ele os obrigara a vir contra a vontade.

No caminho todo até a praia, eles foram se arrastando, ficando para trás, apesar de o sr. Ramsay apressá-los com

"Vamos lá, vamos lá" em gestos. Eles estavam cabisbaixos, as cabeças pendentes como se lutassem contra um vendaval implacável. Eles não podiam falar com ele. Os dois tinham que ir; tinham que seguir. Tinham que caminhar atrás dele carregando embrulhos de papel pardo. Mas, ao caminharem, os dois juraram em silêncio permanecer um ao lado do outro e sustentar o grande pacto – resistir à tirania até a morte. Então eles ficariam ali, um em cada extremidade do barco, em silêncio. Não diriam nada, apenas olhariam de vez em quando para o lugar onde ele estava sentado franzindo a testa, retorcendo as pernas e agitando o corpo, soltando muxoxos e resmungos e murmurando para si mesmo, esperando sem paciência por uma brisa. E eles torciam para que a água permanecesse calma. Esperavam que ele se frustrasse. Torciam para que a expedição inteira fracassasse, e eles tivessem que voltar com seus embrulhos para a praia.

Mas agora, depois de o filho de Macalister ter remado um pouco rumo ao mar aberto, as velas giraram devagar, o barco acelerou, nivelou e disparou. No mesmo instante, como se uma grande tensão fosse aliviada, o sr. Ramsay descruzou as pernas, sacou a bolsinha de fumo, passou-a com um resmungo para Macalister e se sentiu, eles sabiam, por tudo que tinham passado, perfeitamente contente. Agora eles velejariam daquela forma por horas, e o sr. Ramsay faria uma pergunta a Macalister pai – sobre a grande tempestade do inverno anterior provavelmente –, e Macalister pai responderia, e eles dariam baforadas conjuntas em seus cachimbos, e Macalister pegaria uma corda alcatroada nos dedos, fazendo ou desfazendo algum nó, e o garoto pescaria, e nunca dirigiria nenhuma palavra a ninguém. James seria obrigado a ficar de olho na vela o tempo inteiro. Pois, se esquecesse, a vela murcharia e murcharia, e o barco perderia velocidade, e o sr. Ramsay diria com rispidez: "Cuidado! Cuidado!", e Macalister pai viraria devagar no próprio assento. Então, eles escutaram o sr. Ramsay fazer algumas perguntas sobre a grande tempestade no Natal. "Ela veio dando a volta pelo cabo", Macalister pai disse, descrevendo a grande tempestade no Natal, quando dez navios foram forçados a entrar na baía para se abrigar, e ele vira "um ali, outro lá, outro mais adiante" (ele apontava devagar pela baía. O sr. Ramsay o acompanhava, virando a cabeça). Ele havia visto quatro homens agarrados ao mastro. E depois o barco sumiu. E no "depois nós o desencalhamos", ele seguiu (mas em suas raivas e seus silêncios os dois apenas ouviram uma palavra ou outra, sentados em extremos opostos do barco, unidos pelo pacto de combater a tirania até a morte). Enfim, eles desencalharam o barco, lançaram o bote salva-vidas, dando a volta para aquele ponto, Macalister contava a história; e apesar de apenas pescarem uma palavra ou outra, eles estavam cientes o tempo inteiro do pai: do modo como ele se inclinava para a frente, como sintonizava sua voz com a de Macalister; como, fumando o cachimbo e olhando de um lado para o outro onde Macalister apontava, ele apreciava a ideia da tempestade, da noite escura e dos pescadores se esforçando. Ele gostava da ideia de homens trabalhando e suando sob o vento noturno na praia; usando músculos e cérebro contra as ondas e a ventania; ele gostava que homens trabalhassem assim, e que as mulheres cuidassem da casa, e se sentassem ao lado das crianças adormecidas, enquanto homens se afogavam lá fora na tempestade. James percebia isso, e Cam percebia também (eles olhavam para o pai, eles trocavam olhares), pela agitação e pela vigilância, e pelo som de sua voz, e pelo pequeno resquício de sotaque escocês que se infiltrava na voz, fazendo com que ele mesmo parecesse um camponês, enquanto questionava Macalister sobre os onze barcos que foram empurrados baía adentro numa tempestade. Três tinham afundado.

 Ele olhava com orgulho para onde Macalister apontava; e Cam pensou, sentindo orgulho dele sem saber exatamente o motivo, que, se ele estivesse lá, teria lançado um bote salva-vidas, ele teria chegado ao naufrágio, pensava Cam. Ele era tão corajoso, tão aventureiro, Cam pensava. Mas ela se lembrou. Havia o pacto; resistir à tirania até a morte. A mágoa pesava neles. Eles tinham sido forçados; foram mandados. A tristeza e a autoridade dele exauriram os dois de novo, forçando-os a fazer o que ele exigia nessa linda manhã, forçando-os a vir, porque assim ele o desejava, carregando esses embrulhos, ir ao Farol; participar desses rituais pelos quais ele passava em nome de seu próprio prazer em memória dos mortos, algo que eles odiavam, então eles ficavam para trás, todo o prazer estragado.

Sim, a brisa era refrescante. O barco se inclinava, cortava a água profundamente, dividindo-a em cascatas verdes, bolhas, cataratas. Cam baixou o olhar para a espuma, para o oceano com todos os seus tesouros, e a velocidade a hipnotizou, e a ligação entre ela e James se afrouxou. Ela cedeu um pouco. Ela começou a pensar, "Como vai rápido. Aonde vamos?", e o movimento a hipnotizava, enquanto James, com os olhos fixos na vela e no horizonte, manejava o leme com austeridade. Mas ele começou a pensar, enquanto manejava o leme, que poderia escapar; ele poderia se livrar daquilo tudo. Eles poderiam aportar em algum lugar; e ser livres, então. Eles dois, trocando olhares por um instante, tiveram um pressentimento de fuga, de êxtase, com toda aquela velocidade e mudança. Mas o sr Ramsay também se empolgava de igual forma com a brisa, e, quando Macalister pai se virou para lançar a linha ao mar, ele gritou em voz alta:

– Perecemos – e então de novo –, cada um em solidão. – E então, com seu espasmo habitual de arrependimento ou timidez, ajeitou o corpo e acenou na direção da praia.

– Olhem a casa, que pequena – disse ele, apontando, desejando que Cam olhasse. Ela se ergueu com relutância e olhou. Mas qual delas? Ela não conseguia mais distinguir entre tantas no meio da encosta. Tudo parecia distante, tranquilo e estranho. A praia parecia refinada, distante, irreal. A pouca distância que eles tinham velejado já os colocava longe da casa e dava a ela o ar mudado, composto, de um quadro de que não se faz mais parte e que vai se distanciando. Qual era a casa deles? Ela não conseguia ver.

– Mas eu, debaixo de mares mais furibundos – murmurou o sr. Ramsay. Ele encontrara a casa e, ao vê-la, também havia se enxergado ali; ele havia se visto andando pelo terraço, sozinho. Ele estava caminhando para cima e para baixo entre os

vasos; e pareceu aos seus próprios olhos muito velho e encurvado. Sentado no barco, ele se curvou, arqueando-se, de imediato assumindo seu papel, o papel de um homem desolado, viúvo, abandonado; e assim conjurou diante de si milhares de pessoas que se compadeceram dele; encenou um pequeno teatro ao redor de si mesmo, sentado no barco; uma atuação que lhe requeria decrepitude, exaustão e mágoa (ele ergueu as mãos e viu como eram magras, para confirmar o sonho), e então a comiseração feminina pululária em abundância, e ele as imaginava compadecendo-se e consolando-o, e assim conseguindo do sonho algum resquício do prazer requintado que a compaixão feminina era para ele, o sr. Ramsay suspirou e declarou, em delicadeza e lamento:
Mas eu, debaixo dos mares mais furibundos
No abismo mais profundo dos mundos.
De forma que eles todos ouviram as palavras lúgubres com bastante clareza. Cam se sobressaltou de leve no próprio assento. Aquilo a chocava, ultrajava. O movimento incitava o pai; e ele estremeceu e irrompeu, exclamando: "Olhem! Olhem!" com tanta urgência que James também se voltou para olhar a ilha por cima de seu ombro. Todos olharam. Olharam para a ilha.

Mas Cam não conseguia ver nada. Ela pensava em como todas aquelas trilhas e o gramado, grosso e emaranhado com as vidas que viveram ali, tinham desaparecido; foram varridos; eram passado; eram irreais, e agora isto era real: o barc, a vela e seu remendo; Macalister e seus brincos; o burburinho das ondas – tudo aquilo era real. Pensando nisso, ela murmurava para si mesma: "Perecemos, cada um em solidão", pois as palavras do pai quebravam e quebravam de novo em sua mente, quando o próprio pai, ao vê-la de olhar tão perdido, começou a caçoar dela. Ela não sabia os pontos cardeais?, perguntou ele. Ela não sabia a diferença entre Norte e Sul? Ela achava mesmo que eles moravam para aquele lado? E ele apontou de novo e lhe mostrou onde a casa ficava, lá, perto das árvores. Ele queria que ela se esforçasse para ter mais precisão e perguntou: "Diga: onde fica o Leste, onde fica o Oeste?", em parte rindo dela, em parte recriminando-a, pois não conseguia entender o estado mental de uma pessoa que não fosse uma imbecil completa e que não soubesse os pontos cardeais. Ainda assim, ela não sabia. E ao vê-la com o olhar tão vago, agora tão assustado, mirando fixo onde não havia casa alguma, o sr. Ramsay se esqueceu de seu sonho; de como ele caminhava de um lado para o outro entre os vasos do gramado; como os braços se estendiam para ele. Ele pensou, mulheres são sempre assim; a nebulosidade de suas mentes era incorrigível; era algo que ele nunca conseguira compreender; mas era assim. Fora assim com ela – a esposa. Mulheres não conseguiam manter nada fixo com clareza na mente. Mas ele errara em se enfurecer com ela; além do mais, ele não gostava dessa vagueza nas mulheres? Era parte de seu charme extraordinário. Vou fazê-la sorrir para mim, pensou ele. Ela parece assustada. Estava tão quieta. Ele apertou os dedos, e determinou que sua voz e seu rosto, e todos os expressivos gestos rápidos que ele teve à sua disposição para fazer com que as pessoas se compadecessem dele e o elogiassem, se abrandassem. Ele ia fazer com que ela sorrisse para ele. Encontraria alguma coisa fácil e simples para dizer. Mas o quê? Pois, envolvido como estava no trabalho, ele esquecera como falar de frivolidades. Havia um cachorrinho. Eles tinham um cachorrinho. Quem estava cuidando do cachorrinho hoje?, ele quis saber. "Sim", James pensou sem sentir pena, vendo a cabeça da irmã contra a vela, "agora ela vai ceder. Vou ficar sozinho para lutar contra o tirano". Ele teria que carregar nas costas o pacto. Cam nunca resistiria à tirania até a morte, ele pensava de forma sinistra, olhando o rosto dela, triste, amuado, complacente. E assim, como às vezes acontece quando uma nuvem encobre o flanco verde de um morro e um ar circunspecto domina aquele ponto, e ali em meio a todas as colinas do entorno há tristeza e melancolia, e é como se os próprios morros devessem ponderar o destino da colina nublada, posta sob a escuridão, seja sentindo pena ou se regozijando maliciosamente por seu desalento: da mesma forma Cam agora se sentia encoberta, sentada ali entre pessoas tranquilas e determinadas, perguntando-se como

responder ao pai sobre o cão; como resistir à súplica – perdoe-
-me, se preocupe comigo; enquanto James, o juiz com tabule-
tas de sabedoria eterna abertas sobre os joelhos (a mão no
leme se tornara simbólica para ela) dizia, resista. Lute contra
ele. Ele tinha razão; era justo. Pois eles deviam lutar contra a
tirania até a morte, pensou ela. De todas as qualidades humanas, a justiça era a que ela mais reverenciava. Seu irmão era o
que mais tinha características divinas, o pai era o mais sub-
misso. E a qual dos dois ela se renderia, pensou, sentada entre
eles, fitando a praia e todos os lugares que lhe eram desconhecidos ali, pensando em como o gramado, o terraço e a casa se
suavizavam à distância, e a paz reinava lá.
– Jasper – disse ela, taciturna. Ele cuidaria do cachorrinho.
E que nome ela daria ao bichinho?, o pai insistia. Ele teve um
cachorro quando menino, chamado Frisk. Ela vai ceder, pensou
James, enquanto via um olhar surgir no rosto dela, um olhar de
que ele se lembrava. Os olhos baixavam, pensou ele, para um
tricô ou algo assim. Então de súbito se erguiam. Havia um raio
de azul, ele se lembrava, e então alguém sentado com ele ria,
num ato de rendição, e ele se enfurecia. Devia ter sido a mãe, ele
pensou, ela numa espreguiçadeira com o pai em pé logo atrás.
James começou a procurar no meio das séries infinitas de memórias que o tempo havia estendido, folha após folha, dobra
após dobra, com suavidade, de novo e de novo, em seu cérebro;
em meio a cheiros, sons; vozes ríspidas, graves, doces; e luzes
passando, e vassouras batendo; e o marulho e o silêncio do mar,
como um homem marchando de um lado para o outro, parou
duro, reto, perto deles. Enquanto isso, ele notou, Cam tocava na
água de leve, e encarava a praia sem dizer nada. Não, ela não vai
ceder, pensou James; ela é diferente. Bem, se Cam não ia responder, ele não a incomodaria, o sr. Ramsay decidiu, tateando
no bolso atrás de um livro. Mas ela ia responder; ela desejava,
apaixonadamente, remover algum obstáculo que estava sobre
sua língua e dizer, Ah, claro, Frisk. Vou dar o nome de Frisk. Ela
inclusive queria dizer, Foi esse cachorro que encontrou o caminho de casa sozinho, voltou lá do pântano? Mas, por mais que
tentasse, ela não conseguia pensar em nada daquilo para dizer,

agressiva e leal ao pacto – e ainda assim, transmitindo ao pai, sem que James suspeitasse, um símbolo privado do afeto que sentia por ele. Pois ela pensava, mergulhando a mão de leve (e o filho de Macalister havia pescado uma cavala, que agora saltava no chão do barco com sangue nas guelras), pois ela pensava, olhando para James, que mantinha os olhos calculistas na vela, ou espiava o horizonte por um instante de vez em quando, você não está sujeito a isso, a essa pressão e divisão de sentimentos, a essa tentação extraordinária. O pai tateava os bolsos; com mais um segundo, teria encontrado o livro. Pois ninguém a atraía mais; suas mãos eram lindas, e os pés, e a voz, e as palavras, e a pressa, e o mau humor, e suas idiossincrasias, e a paixão e o seu jeito de falar direto e na frente de todos, perecemos, cada um em solidão, e o isolamento. (Ele abrira o livro.) Mas o que permanecia intolerável – pensou ela, sentada ereta, olhando o filho de Macalister arrancar o anzol das guelras de outro peixe – era aquela tirania e cegueira crassa que envenenaram sua infância e criavam tempestades amargas, de forma que ela ainda acordava no meio da noite tremendo de raiva e se lembrando de alguma ordem dele; alguma insolência: "Faça isso", "Faça aquilo", seu domínio: seu "Submeta-se a mim".

Então ela não disse nada, mas olhou com obstinação e tristeza para a praia coberta por seu manto pacífico; como se as pessoas ali tivessem pegado no sono, pensou ela; como se elas fossem livres como fumaça, livres para ir e vir como fantasmas. Eles não sofrem lá, pensou.

6

Sim, aquele é o barco deles, Lily Briscoe decidiu, em pé na beira do gramado. Era o barco com as velas marrom--acinzentadas, que ela agora via nivelar com a água e deslizar baía adentro. Lá está ele, pensou ela, e as crianças ainda estão bastante quietas. E tampouco ela conseguia alcançá--lo. A compaixão que não lhe dera pesava nela. Dificultava a pintura.

Lily sempre o achara difícil. Nunca havia conseguido elogiá-lo em sua presença, ela lembrava. E isso reduzia o relacionamento de ambos a algo neutro, sem aquele elemento de divisão entre sexos que tornava os modos dele com Minta tão galantes, quase felizes. Ele colhia uma flor para ela, emprestava livros. Mas será que ele acreditava que Minta lia aqueles livros? Ela os levava de um lado para o outro no jardim, enfiando folhas para marcar páginas.

"O senhor se lembra, sr. Carmichael?", ela sentiu vontade de perguntar, olhando para o velho. Mas ele tinha puxado o chapéu, cobrindo metade da testa; adormecera, ou estava sonhando, ou estava deitado ali, em busca de palavras, supôs ela.

"O senhor se lembra?", ela sentiu vontade de perguntar ao passar por ele, pensando de novo na sra. Ramsay na praia; o barril flutuando; as páginas voando. Por que aquela memória havia sobrevivido todos esses anos, ecoante, vibrante, visível até o último detalhe, e tudo anterior a ela em branco e tudo após ela em branco, por quilômetros e quilômetros? "É um bote? Uma cortiça?", ela disse, Lily repetiu, voltando--se com relutância para a tela. Que Deus abençoe, o problema do espaço permanecia, pensou ela, pegando o pincel de novo. Encarava Lily. Todo o volume do retrato se sustentava naquele peso. Deveria ser belo e brilhante na superfície, ligeiro e evanescente, uma cor liquefazendo-se para dentro de outra como a asa de uma borboleta; mas abaixo, ferrolhos deviam firmar a trama. Devia ser algo que você conseguisse fazer tremular com a respiração; e algo que não se desloca nem com uma parelha de cavalos. E ela começou a pousar na tela um vermelho, um cinza, e começou a moldar seu caminho por dentro do vazio. Ao mesmo tempo, ela parecia estar sentada ao lado da sra. Ramsay na praia.

"É um bote? É um barril?", perguntou a sra. Ramsay. E começou a procurar seus óculos. E ao encontrá-los, ela se sentou em silêncio olhando para o mar. E Lily, pintando com constância, sentiu como se uma porta tivesse sido aberta, uma pessoa tivesse entrado e ficado mirando ao redor, muda, num ponto alto, como uma catedral, muito sombrio, muito solene. Gritos vieram de um mundo distante. Navios a vapor sumiam no meio de rolos de fumaça no horizonte. Charles jogava pedras que iam ricocheteando.

A sra. Ramsay estava sentada e em silêncio. Ela estava contente, pensava Lily, de descansar quieta, introspectiva; descansar na obscuridade extrema das relações humanas. Quem sabe o que somos, o que sentimos? Quem sabe mesmo no momento mais íntimo. Isso é conhecimento? As coisas não se estragam, então a sra. Ramsay poderia ter perguntado (parecia ter ocorrido com tanta frequência, esse silêncio ao lado dela), quando falamos delas em voz alta? Nós não somos mais expressivos dessa forma? Ao menos, o momento parecia extraordinariamente fértil. Ela cavou um buraco pequeno na areia e o cobriu, como se tentasse enterrar a perfeição do momento ali dentro.

Era como uma gota de prata em que se mergulhava e iluminava a escuridão do passado. Lily deu um passo para trás para olhar a tela – *assim* – em perspectiva. Era um caminho curioso para se trilhar, esse da pintura. Você ia se afastando, se afastando, até parecer estar numa prancha estreita, perfeitamente a sós sobre o mar. E ao mergulhar o pincel na tinta azul, ela também mergulhava no passado. Então a sra. Ramsay se levantou, ela se lembrava. Era hora de voltar para a casa – hora do almoço. E todos caminharam voltando da praia juntos, ela mais atrás com William Bankes, e lá estava Minta na frente deles com um buraco na meia. Como aquele buraquinho de calcanhar rosado parecia se exibir na frente de todos! Como William Bankes o deplorava sem, até onde ela conseguia lembrar, dizer nada a respeito! Para ele, aquilo significava a aniquilação da feminilidade, e sujeira, e desordem, e empregados deixando camas por fazer ao meio do dia – todas as coisas que ele mais abominava. Ele tinha uma forma de estremecer e estender os dedos, como se quisesse não ver um objeto desagradável aos olhos, que ele fazia agora – mantendo a mão à sua frente. E Minta seguia caminhando, e presumivelmente Paul a encontrou e os dois foram para o jardim.

Os Rayley, pensou Lily Briscoe, apertando o tubo de tinta verde. Ela reuniu suas impressões sobre os Rayley. A vida deles surgiu diante dela numa série de cenas; uma, na escada, no alvorecer. Paul tinha entrado e foi dormir cedo; Minta estava atrasada. Então lá veio Minta, coberta de grinaldas, ruborizada, espalhafatosa na escada às três da manhã. Paul saiu de pijamas com um atiçador de lareira, caso fossem ladrões. Minta estava comendo um sanduíche, meio apoiada à janela, sob a luz cadavérica do fim da madrugada, e o carpete tinha um buraco. Mas o que eles disseram?, Lily se perguntou, como se, por olhar, ela conseguisse ouvi-los. Minta seguiu comendo o sanduíche, de forma irritante, enquanto ele falava algo grosseiro, insultando-a, em um murmúrio para não acordar as crianças, os dois meninos. Ele estava murcho, envelhecido; ela, extravagante, descuidada. Pois as coisas tinham desandado mais ou menos depois do primeiro ano; o casamento deu bastante errado.

 E isso, pensou Lily, colocando a tinta verde no pincel, essa lembrança de cenas com as pessoas, é o que chamamos de "conhecê-las", "pensar" nelas, "gostar" delas! Nenhuma palavra daquilo era verdade; ela inventou; mas ainda assim era como ela os conhecia. Ela seguiu desbravando um caminho no quadro, de volta ao passado. Outra vez, Paul disse que "jogava xadrez em cafés". Ela criou toda uma estrutura imaginária por causa da frase também. Ela se lembrava de como o imaginou, quando ele disse aquilo, que ele telefonou, a empregada atendeu e disse: "A sra. Rayley saiu, senhor", e ele decidiu que também não iria para casa. Ela o viu sentar no canto de algum estabelecimento lúgubre onde a fumaça já estava grudada aos assentos de veludo vermelho, e as garçonetes começavam a conhecê-lo melhor, e ele jogava xadrez com um homenzinho que importava chás e vivia em Surbiton, mas isso era tudo que Paul sabia sobre ele. E então, quando ele chegou em casa, Minta ainda estava fora e aí houve a cena nas escadas, quando ele pegou o atiçador de lareira, para o caso de serem ladrões (sem dúvida para assustá-la também) e falou com tanto amargor, dizendo que ela tinha arruinado a vida dele. De qualquer forma, quando Lily foi visitá-los no chalé perto de Rickmansworth, as coisas estavam horrivelmente desgastadas. Paul a levou para o jardim para ver as lebres belgas que criava, e Minta os seguia cantando, e descansava o braço nu no ombro dele, para que ele não contasse nada.

 As lebres entediavam Minta, pensou Lily. Mas Minta nunca se denunciou. Ela nunca comentava coisas assim sobre jogar xadrez em bares. Ela era consciente demais, cautelosa demais. Mas, seguindo com a história do casal – eles haviam atravessado o estágio perigoso a essa altura. Ela ficara com eles por algum tempo ao longo do verão, e o carro quebrara, e Minta precisou passar as ferramentas para ele. Ele sentado na estrada consertando o carro, e era ela quem passava as ferramentas – profissional, assertiva, amigável –, o que provava que tudo estava bem então. Eles não estavam mais "apaixonados"; não, ele se envolvera com outra mulher, uma mulher séria, de cabelo com trança e que carregava uma pasta profissional (Minta a descrevia com gratidão, quase admiração), que ia a reuniões e compartilhava os pontos de vista de Paul (as opiniões dele ficavam cada vez mais fortes) a respeito da taxação de territórios e bens de capital. Longe de romper o casamento, aquela aliança o consertou. Os dois eram amigos excelentes, era óbvio, enquanto ele sentava na estrada e ela lhe passava ferramentas. Então essa era a história dos Rayley, pensou Lily. Ela se imaginou contando à sra. Ramsay, que estaria cheia de curiosidade para saber o que aconteceu com eles. Ela se sentiria um pouco triunfante, contando para a sra. Ramsay que o casamento não foi um sucesso.

Mas os mortos, pensou Lily, encontrando algum obstáculo em seu plano, que a fez pausar e se perguntar, dando um ou dois passos para trás: ah, os mortos!, murmurou, as pessoas tinham pena deles, deixavam-nos de lado, sentiam até um certo desprezo. Eles estão à nossa mercê. A sra. Ramsay evanesceu e se foi, pensou ela. Podemos passar por cima dos seus desejos, melhorar suas ideias limitadas e antiquadas. Ela recua e fica cada vez mais longe de nós. Ela parecia vê-la ali no final do corredor dos anos dizendo, zombeteira, sobre todas as coisas incoerentes, "Casem, casem!" (sentada muito ereta logo cedo com os pássaros começando a chilrear no jardim lá fora). E alguém seria obrigado a lhe dizer: tudo aconteceu ao contrário de sua vontade. Eles estão felizes desse jeito; eu estou feliz desse jeito. A vida mudou por inteiro. Diante disso, todo seu ser, até mesmo sua beleza, ficava empoeirado e obsoleto por um momento. Por um instante, Lily, parada ali com o sol quente às suas costas, resumindo os Rayley, triunfava sobre a sra. Ramsay, que nunca saberia que Paul ia a bares e tinha uma amante; que ele se sentou no chão e Minta lhe passou as ferramentas; que ela estava parada ali pintando, que nem ela nem William Bankes nunca se casaram.

A sra. Ramsay havia planejado aquilo. Talvez, se tivesse vivido, ela teria forçado a união. Já naquele verão ele era "o mais gentil dos homens". Ele era "o melhor cientista de sua geração, meu marido diz". Também era "o pobre William... Eu fico tão triste, quando vou visitar, por ele não ter nada de bom em sua casa... Ninguém para arrumar as flores..." Então mandava os dois passearem juntos, e ela ouvia, com aquele toque suave de ironia que sempre tornava a sra. Ramsay impossível de emparedar, que Lily também tinha uma mente científica; que ela gostava de flores; que era tão precisa. Que mania era essa dela com casamentos?, perguntava-se Lily, afastando-se e aproximando-se do cavalete.

(De repente, tão de repente quanto uma estrela cruza o céu, uma luz avermelhada pareceu queimar em sua mente, cobrindo Paul Rayley, emanando dele. Aquela luz subiu como uma fogueira acesa num símbolo de alguma celebração de selvagens numa praia distante. Ela conseguia ouvir o ribombar e o estalar do fogo. O oceano todo por quilômetros ficou vermelho e dourado. Algum perfume de vinho se misturou àquilo e embriagou Lily, pois ela sentia de novo o seu próprio desejo apressado de se lançar de um penhasco e se afogar à procura de um broche de pérola na praia. E o ribombar e o estalar a repeliam com medo e asco – como se, ao mesmo tempo em que via o esplendor e o poder, ela também visse como se alimentava do tesouro da casa, de forma gananciosa, asquerosa, e ela detestou aquilo. Mas, em termos de visão, de glória, aquilo superava tudo na experiência dela, e ardia ano após ano como uma fogueira de sinalização numa ilha deserta à beira do mar, e a pessoa apenas precisava dizer "apaixonado" que no mesmo instante, como ocorria agora, a chama de Paul subia de novo. E aquilo diminuiu, e ela disse para si mesma, rindo: "Os Rayley..."; como Paul ia a bares e jogava xadrez.)

Mas ela escapou por pouco, pensou ela. Ela estivera olhando para a toalha de mesa, quando lhe ocorreu a ideia de mover a árvore para o meio, de nunca precisar se casar com ninguém, o que a deixou muito exultante. Ela sentia que enfim conseguiria confrontar a sra. Ramsay – um tributo ao poder surpreendente que a sra. Ramsay tinha sobre as pessoas. Faça isso, dizia ela, e as pessoas obedeciam. Mesmo sua sombra na janela com James era de uma autoridade total. Ela se lembrava de como

William Bankes se chocara com a negligência da importância de uma mãe e seu filho. Ela não admirava a beleza deles?, ele quis saber. Mas ela lembrou que William a escutara com seus olhos de criança sábia enquanto ela explicava que não era irreverência: como uma luz aqui exigia uma sombra ali e assim por diante. Ela não pretendia desrespeitar um assunto que Raphael tratara divinamente, eles concordaram. Ela não era cínica. Pelo contrário. Graças à sua mente científica, ele entendia – uma evidência de inteligência desinteressada que a agradou e confortou imensamente. Podia-se falar de pintura com essa seriedade com um homem. De fato, a amizade com ele fora um dos prazeres de sua vida. Ela adorava William Bankes.

Eles iam a Hampton Court e ele sempre lhe dava tempo de sobra para lavar as mãos, como o cavalheiro perfeito que era, enquanto passeava à beira do rio. Isso era típico na relação dos dois. Muitas coisas ficavam por dizer. Quando eles passeavam pelos pátios e admiravam, verão após verão, as proporções e as flores, e ele lhe dizia coisas sobre perspectiva, arquitetura, enquanto seguiam, ele parava para olhar uma árvore, ou a imagem na superfície do lago, e admirar uma criança – (era sua grande tristeza, não ter uma filha) da vaga forma distraída que era natural do homem que passava tanto tempo em laboratórios a ponto de, ao sair, o mundo parecer cegá-lo com suas maravilhas, de forma que ele caminhava devagar, levantava a mão para proteger os olhos e pausava, com a cabeça lançada para trás, apenas para conseguir respirar. Então ele contaria a ela como a governanta estava de folga; ele precisava comprar um tapete novo para a escadaria. Talvez ela devesse ir com ele comprar um tapete novo para a escada. E uma vez, algo o levou a falar dos Ramsay, e ele disse que a primeira vez que a viu ela estava usando um chapéu cinza; ela não tinha mais do que dezenove ou vinte anos. Ela era de uma beleza assombrosa. Ele parou, olhando a avenida de Hampton Court em perspectiva, como se pudesse vê-la ali, entre as fontes.

Ela olhou então para o degrau da sala. Ela viu, por meio dos olhos de William, o formato de uma mulher, pacífica e em silêncio, com olhos baixos. Ela pensava, sentada (estava de cinza naquele dia, pensou Lily). Os olhos baixos. Nunca os levantaria. Sim, pensou Lily, olhando com atenção, eu devo tê-la visto com essa mirada, mas não de cinza; não tão imóvel, nem tão jovem, nem tão pacífica. A imagem se montou rápido. Uma beleza assombrosa, como William dissera. Mas beleza não era tudo. Beleza tinha o seu lado ruim – vinha rápido demais, plena demais. A beleza imobilizava a vida – congelava-a. Você se esquecia das pequenas agitações; o corar, o empalidecer, alguma distorção esquisita, alguma luz ou sombra, que deixava o rosto irreconhecível por um instante e, ainda assim, dava uma característica que se enxergaria para sempre. Era mais fácil homogeneizar tudo isso sob a cobertura da beleza. Mas qual aparência ela tinha – perguntava-se Lily – ao enfiar o chapéu de feltro na cabeça, ou correr pela grama, ou repreender Kenny, o jardineiro? Quem poderia contar a ela? Quem poderia ajudar?

Contra a própria vontade, Lily voltou à superfície e se pegou meio fora do quadro, olhando com certo atordoamento, como se estivesse vendo coisas irreais, para o sr. Carmichael. Ele se recostava na cadeira, ambas as mãos cruzadas sobre a barriga, sem ler ou dormir, mas desfrutando do sol como uma criatura empanturrada de existência. Seu livro caíra na grama.

Ela quis ir direto até ele e dizer: "sr. Carmichael!". Então, ele a olharia com a benevolência de sempre, de seus vagos olhos verdes e esfumaçados. Mas só se deve acordar outra pessoa se você souber exatamente o que quer dizer. E ela não queria dizer nada específico, mas queria dizer tudo. Palavrinhas que interrompiam o pensamento e o fragmentavam não significavam nada. "Sobre a vida, sobre a morte; sobre a sra. Ramsay" – não, pensou ela, não se poderia dizer nada a ninguém. A urgência do momento sempre errava o alvo. Palavras flutuavam pelo ar e acertavam centímetros abaixo do alvo. Aí você desistia; então a ideia voltava; então a pessoa ficava como a maioria das pessoas de meia-idade: cautelosa, furtiva, com rugas entre os olhos e um ar de apreensão perpétua. Pois como expressar em palavras essas emoções do corpo? Como expressar aquele vazio ali? (Ela olhava para os degraus da sala; eles pareciam extraordinariamente vazios.) Era o que o corpo sentia, e não a mente. As sensações físicas que acompanhavam o olhar do vazio dos degraus de súbito se tornaram desagradáveis ao extremo. Querer e não ter despertava uma dureza, um eco, um desgaste, em todo o seu corpo. E então querer e não ter – querer e sentir a falta –, como aquilo torcia o coração e retorcia e retorcia! Ah, sra. Ramsay!, disse ela em silêncio para aquela essência sentada perto do barco, aquela abstração que se compunha a partir do que ela fora, a mulher de cinza, como se quisesse criticá-la por ter partido, e por ter voltado depois de partir. Pensar nela parecera tão seguro. Fantasma, ar, nada – ela havia sido um objeto com que se podia brincar com facilidade e segurança a qualquer hora do dia e da noite, e então do nada ela estendeu o braço e apertou seu coração daquela forma. De súbito, os degraus vazios da sala, os babados da cadeira lá dentro, o cachorrinho tropeçando no gramado, toda a onda e sussurro do jardim se tornavam curvas e arabescos florescendo ao redor de um centro de completo vazio.

"O que isso quer dizer? Como se explica tudo isso?", ela quis dizer, voltando-se para o sr. Carmichael de novo. Pois o mundo inteiro parecia ter se dissolvido cedo naquela manhã em uma poça de pensamento, uma enseada profunda de realidade, e quase se podia imaginar que, caso o sr. Carmichael falasse, por exemplo, uma gotícula teria rompido a superfície da poça. E então? Algo emergiria. Uma mão surgiria, uma lâmina seria brandida. Era tudo uma bobagem, claro.

Uma noção curiosa ocorreu a ela, de que ele conseguia ouvir as coisas que ela não podia dizer, no final das contas. Ele era um velho inescrutável, com a mancha amarela na barba, sua poesia e seus joguinhos, navegando com serenidade por um mundo que satisfazia a todas as suas necessidades, de forma que ele apenas baixava a mão ali onde estava no jardim e já pegava qualquer coisa que quisesse, pensava ela. Ela olhou para o quadro. Essa teria sido a resposta dele, era presumível: como "você", "eu" e "ela" passamos e desaparecemos; nada permanece; tudo muda; mas as palavras não, a tinta não. Ainda assim, o quadro seria pendurado no ático, pensou ela; seria enrolado e enfiado debaixo de um sofá; ainda assim, mesmo no que dizia respeito a um quadro como aquele, era verdade. Poderia ser dito – mesmo desse monte de rabiscos, e não do quadro em si, mas do que ele tentava ser – que "permanecia para sempre", diria ela, ou então, pois as palavras ditas pareciam presunçosas até para ela própria, insinuaria, sem palavras; quando, ao olhar o quadro, ela se surpreendeu por descobrir que não conseguia vê-lo. Seus olhos estavam cheios de um líquido quente (ela não pensou em lágrimas de início) que, sem perturbar a firmeza de seus lábios, engrossavam o ar, rolavam por seu rosto. Ela tinha controle perfeito de si – ah, sim! – em todos os outros aspectos. Então, ela estava chorando pela sra. Ramsay, sem estar ciente de qualquer infelicidade? Ela se dirigiu ao velho sr. Carmichael de novo. O que era aquilo, então? O que queria dizer? As coisas tinham essa capacidade de se lançar sobre uma pessoa e a agarrar; poderia a lâmina cortar; o punho segurar? Não havia segurança alguma? Nenhuma forma de aprender e decorar os métodos do mundo? Nenhum guia ou abrigo, mas seria tudo um milagre, um saltar do topo da torre espaço adentro? Poderia ser que, até mesmo para pessoas mais velhas, a vida era isso? Alarmante, inesperada, desconhecida? Por um momento ela sentiu que, se os dois ficassem de pé, ali no gramado, e exigissem uma explicação, por que tão curta, por que tão inexplicável, falando isso com agressividade, como falariam dois adultos plenamente equipados de quem nada se esconderia, então a beleza surgiria; o espaço se preencheria; aqueles floreios vazios ganhariam forma; se eles gritassem por tempo suficiente, a sra. Ramsay retornaria.

– Sra. Ramsay! – ela disse em voz alta – Sra. Ramsay! – As lágrimas escorriam por seu rosto.

7

[O filho de Macalister pegou um dos peixes e cortou uma lasca do flanco para usar de isca no anzol. O corpo mutilado – o peixe ainda vivia – foi lançado de volta ao mar.]

8

—Sra. Ramsay! – gritou Lily – Sra. Ramsay! – Mas nada aconteceu. A dor aumentou. Quem diria que a angústia podia reduzir uma pessoa a tamanho grau de imbecilidade. De qualquer forma, o velhinho não ouviu. Ele permaneceu benigno, calmo, se você preferisse pensar nesses termos, sublime. Que os céus sejam louvados, ninguém ouvira aquele berro vergonhoso, pare, dor, pare! Ela não tinha enlouquecido, obviamente. Ninguém a vira avançar da prancha para dentro das águas da aniquilação. Ela permanecia uma reles solteirona com um pincel na mão.

E agora lentamente a dor da falta, e a raiva amarga (reacendida, justamente quando ela achava que não sentiria mais tristeza pela sra. Ramsay. Se ela sentira falta dela entre as xícaras no café da manhã?, de forma alguma) cediam devagar; e da angústia causada por elas ficava, como se um antídoto, um alívio que era o próprio bálsamo, e também, mas de forma mais misteriosa, uma sensação de que havia alguém ali, da sra. Ramsay, aliviada por um instante do peso que o mundo lhe despejou, parando com leveza ao seu lado e então (pois esta era a sra. Ramsay em toda a sua beleza) alçando à sua cabeça uma guirlanda de flores brancas, e depois partindo. Lily apertou seus tubos de tinta de novo. Ela lidou com o problema da sebe. Era estranho como ela a via com tanta clareza, pisando com sua rapidez costumeira pelos gramados e entre os campos, entre os purpúreos e suavidades das flores, jacintos ou lírios, ela desaparecia. Era algum truque visual do olho do pintor. Afinal, dias depois de saber de sua morte, ela a vira assim, colocando sua guirlanda na cabeça e sem questionar seguindo com sua companheira, uma sombra pelos campos. A visão, a frase, teve o poder de consolar. Onde fosse que ela estivesse, pintando, aqui, ali, no interior ou em Londres, a imagem lhe alcançava, e seus olhos semicerrados buscavam algo em que basear sua imagem. Ela via os vagões de trem abaixo, os ônibus; traçava uma linha a partir de um ombro ou bochecha; olhava para as janelas do outro lado; via Piccadilly, com suas lâmpadas à noite. Tudo havia sido parte dos campos da morte. Mas sempre algo – podia ser um rosto, uma voz, um garotinho entregador de jornais gritando *Standard, News!* – atravessava-a, humilhando, despertando, pedia e acabava conseguindo um lapso de atenção, de forma que a imagem precisava ser reconstruída perpetuamente. Então, outra vez, impelida como estava por uma necessidade instintiva de distância e azul, ela olhava a baía abaixo de si, transformando as barras azuis das ondas em montículos, e os campos pedregosos nos espaços mais purpúreos, de novo ela se empolgava com algo absurdo como de costume. Havia uma mancha marrom no meio da baía. Era um barco. Sim, ela se deu conta disso depois de um instante. Mas o barco de quem? O barco do sr. Ramsay, respondeu ela. O sr. Ramsay; o homem que passou por ela marchando, com a mão levantada, distante, à frente de uma procissão, em suas belas botas, pedindo sua compaixão, que ela negara. O barco já cruzava o meio da baía.

A manhã estava tão agradável, exceto por uma corrente de ar aqui ou ali, que o oceano e o céu pareciam ser o mesmo tecido, como se velas estivessem presas bem no alto do céu, ou as nuvens tivessem descido ao mar. Um navio a vapor bastante avançado nas águas lançaria um grande rolo de fumaça que permanecia ali em curvas e círculos decorativos, como se o ar fosse uma gaze fina que mantinha tudo junto e unido dentro de sua malha, apenas movendo de um lado para o outro com gentileza. Como acontece às vezes quando o clima está muito bom, os penhascos pareciam cientes dos navios, como se sinalizassem uns para os outros uma mensagem própria. Apesar de às vezes aparentar proximidade à praia, naquela manhã, no meio da névoa, o Farol parecia ficar a uma distância imensa.

"Onde eles estão agora?", pensou Lily, olhando para o mar. Onde estava ele, aquele homem muito velho que passara por ela em silêncio, segurando um embrulho de papel pardo sob o braço? O barco estava no meio da baía.

9

Eles não sentem nada ali, pensou Cam, olhando para a praia, que, subindo e descendo, ficava cada vez mais distante e mais tranquila. A mão dela abria uma trilha na água, ao mesmo tempo que a mente transformava as espirais e ondas verdes em padrões e, entorpecida e velada, ela vagava em imaginação naquele submundo marinho em que pérolas se grudavam a cachos em vegetação branca, onde, sob uma luz verde, uma mudança tomava conta da mente de uma pessoa e seu corpo começava a brilhar em uma semitransparência envelopada numa capa verde. Então o torvelinho perdeu força ao redor de sua mão. O correr da água cessou; o mundo ficou cheio de pequenos rangidos e guinchos. Ouviam-se as ondas quebrando e batendo na lateral do barco como se ele estivesse ancorado num porto. Tudo se tornava muito próximo. Pois a vela, na qual James fixara os olhos até que ela se tornasse para ele como uma pessoa conhecida, afrouxava por inteiro; até que eles pararam, oscilando à espera de uma brisa, sob o sol quente, a quilômetros da praia, a quilômetros do Farol. Tudo no mundo parecia estagnado. O Farol se imobilizou, e a linha da praia distante se fixou. O sol esquentava, e todos pareciam cada vez mais juntos, cada vez mais cientes da presença uns dos outros, de que tinham quase esquecido. A linha de pesca de Macalister afundou como chumbo no mar. Mas o sr. Ramsay seguiu lendo com as pernas cruzadas sob o corpo. Ele lia um livrinho brilhante com a capa salpicada como um ovo de codorna. De vez em quando – enquanto todos boiavam naquela calma horrenda – ele virava uma página. James sentia que o pai virava cada página com um gesto peculiar dirigido a ele; assertivamente dessa vez, como uma ordem dessa outra; com a intenção de deixar os outros com pena agora; e enquanto o pai lia e folheava uma página depois da outra daquele pequeno livro, James receava pelo momento em que o sr. Ramsay levantaria a cabeça e falaria com ele sobre uma coisa ou outra usando seus modos grosseiros. Por que estavam se demorando ali, perguntaria ele, ou algum despropósito do tipo. E se ele perguntar, pensou James, vou pegar uma faca e enfiar no coração dele.

Ele sempre guardara essa imagem antiga de pegar uma faca e enfiar no coração do pai. Com a diferença de que agora, à medida que ele crescia e se sentava encarando o pai em raiva impotente, não era ele, aquele velho lendo, quem ele queria matar, mas a coisa que vinha dele – talvez sem que ele soubesse; aquela súbita e feroz harpia de asas negras, com garras frias e rijas, que bicava e bicava de novo (ele sentia o bico nas suas pernas nuas, onde ela o atacara quando ele era pequeno) e depois saía voando, e lá restava ele de novo, um velho, muito triste, lendo seu livro. Era aquilo que ele ia matar, era no coração daquilo que ele enfiaria uma faca. Independentemente do que ele viesse a fazer (e ele sentia que poderia fazer qualquer coisa, olhando para o Farol e a praia distante), se ele fosse trabalhar em um escritório, num banco, num escritório de advocacia, na liderança de alguma grande empresa, ele lutaria contra aquilo, ele perseguiria e eliminaria a tirania, o despotismo, como ele chamava: esse forçar o outro a fazer o que não quer, tolher o direito de resposta. Como qualquer um diria "não vou", quando ele dissesse "vamos ao Farol". Faça isso. Pegue aquilo para mim. As asas negras se abriam, e o bico pesado rasgava. Então, no momento seguinte, lá estava ele lendo seu livro; e ele poderia levantar a cabeça – nunca se sabia – de forma bastante razoável. Ele poderia falar com os Macalister. Ele poderia estar colocando uma moeda na mão de uma pobre velha na rua; poderia estar acenando os braços no ar com empolgação. Ou poderia se sentar à cabeceira de uma mesa em silêncio mortal do começo ao fim do jantar. Sim, pensou James, enquanto o barco era fustigado pelas ondas e se demorava ali sob o sol quente; havia um trecho isolado de neve e rochas, solitário e austero; e ali ele começara a sentir, com bastante frequência nos últimos tempos, quando o pai dizia ou fazia algo que surpreendia os outros, que havia dois pares de pegadas apenas; as dele e as do pai. Eles eram os únicos que conheciam um ao outro. O que era então esse terror, esse ódio? Revolvendo as muitas folhas que o passado pusera sobre ele, espiando o coração daquela floresta onde luz e sombra afetam tanto uma à outra a ponto de todas as formas acabarem distorcidas, e onde se tateia, ora com o sol nos olhos, ora na escuridão de uma sombra, ele buscou uma imagem capaz de serenar seus sentimentos, de isolá-los e de dar a eles uma forma concreta. Imagine então que, quando criança, sentado indefeso em um carrinho ou num colo, ele tivesse visto uma carroça esmagar o pé de alguém, sem saber. Imagine que ele tivesse visto o pé antes, na grama, suave e íntegro; depois a roda; e o mesmo pé arroxeado e amassado. Mas a roda era inocente. Do mesmo modo quando seu pai cruzava o corredor com passos fortes, batendo as portas de manhã cedo para ir ao Farol, ele rolava sobre seu pé, sobre o pé de Cam, sobre o pé de qualquer um. Você só sentava e assistia.

Mas de quem era o pé no qual ele estava pensando, e em que jardim tudo isso aconteceu? Pois há cenários para histórias assim; árvores que cresciam aqui; flores; uma certa luz; alguns contornos. Tudo convergia para montar um jardim onde não havia nada dessa melancolia. Nada desse agitar de braços; as pessoas falavam num tom de voz normal. Elas entravam e saíam o dia inteiro. Havia uma velha fofocando na cozinha; as cortinas eram levadas para dentro e para fora pela brisa; tudo soprava, tudo crescia; e um delicado véu amarelado se lançava, como uma folha de videira, sobre todos aqueles pratos, tigelas e altas flores intensas de pétalas vermelhas e amarelas. As coisas iam ficando mais inertes e escuras à noite. Mas o véu que se assemelhava a uma folha era tão fino que mesmo as luzes o erguiam, mesmo as vozes o rachavam; ele conseguia ver através do véu um vulto se inclinando, ouvir, aproximar, afastar, um farfalhar de vestido, um tilintar de corrente.

Foi nesse mundo que a roda passou por cima do pé de alguém. Algo, lembrava-se ele, ficou em suspenso no ar, algo árido e perfurante desceu mesmo ali, como uma espada, uma cimitarra, golpeando por entre folhas e flores mesmo naquele mundo feliz e fazendo com que tudo murchasse e caísse.

"Vai chover", ele se lembrava de o pai dizendo. "Você não vai conseguir ir ao Farol."

Na época, o Farol era uma enevoada torre em prata com um olho amarelo que se abria veloz e com suavidade à noite. Agora...

James olhou para o Farol. Ele chegava a ver as rochas caiadas; a torre, hirta e reta; pintado com faixas pretas e brancas; James chegava a ver as janelas; ele inclusive chegava a ver roupas estendidas para secar sobre as pedras. Então aquele era o Farol, era isso?

Não, aquele outro também era o Farol. Pois nada era apenas uma coisa. O outro Farol era verdadeiro também. Às vezes era difícil de ser visto do outro lado da baía. À noite, olhava-se ao longe e se via o olho abrir e fechar, e a luz parecia alcançá-los até o etéreo jardim ensolarado onde eles se sentavam.

Mas ele arrumou a postura. Sempre que dizia "eles" ou "uma pessoa", e depois começava a ouvir o farfalhar de alguém vindo, o tilintar de alguém indo, ele ficava extremamente sensível à presença de quem quer que estivesse no recinto. Nesse momento era o pai dele. A tensão era grande. Pois num momento, caso não ventasse, o pai fecharia o livro com um tapa e diria: "O que está havendo agora? Por que estamos demorando aqui, hein?", como certa vez que ele desembainhara sua espada diante deles no jardim, e a mãe endureceu o corpo todo, e se houvesse uma machadinha à mão, uma faca, ou qualquer coisa pontuda, ele a teria empunhado e perfurado o coração do pai. O corpo da mãe havia tensionado inteiro, e, depois, após o braço se aliviar um pouco, de forma que ele sentiu que ela não lhe prestava atenção mais, ela se levantou de alguma forma e partiu, deixando James ali, impotente, ridículo, sentado no chão segurando uma tesoura.

Não vinha nem um sopro de vento. A água estalava e borbulhava no barco, onde três ou quatro cavalas debatiam suas caudas, num balde de água que mal tinha o suficiente para cobri-las todas. A qualquer momento (James mal ousava olhar para ele) o sr. Ramsay poderia se levantar, fechar o livro e dizer algo grosseiro; mas, por enquanto, ele lia, de modo que James seguiu pensando furtivamente – como se estivesse de pés descalços no andar de baixo, roubando algo, com medo de acordar um cão de guarda – em como ela era, aonde ela fora naquele dia?

Ele começou a segui-la de recinto para recinto e enfim chegaram a uma sala onde, sob uma luz azul, como se o reflexo viesse de muitos pratos de porcelana, ela falou com alguém; ele a ouviu falar. Ela falava com uma empregada, dizendo apenas o que lhe vinha à cabeça. Só ela falava a verdade; apenas para ela ele poderia dizer a verdade. Essa era a fonte da atração duradoura que ela exercia sobre ele, talvez; ela era uma pessoa a quem se poderia falar o que tivesse vontade. Mas durante todo o tempo em que pensou nela, ele estava ciente de seu pai seguindo sua linha de pensamento, analisando-a, fazendo-a estremecer e vacilar. Enfim, ele parou de pensar.

Ele ficou sentado ali, sob o sol, com a mão na cana do leme, encarando o Farol, impotente para se mover, impotente para afastar aqueles grãos de tristeza que se assentaram em sua mente, um depois do outro. Uma corda parecia atá-lo ali, e seu pai fizera o nó, e ele só poderia escapar se pegasse uma faca e perfurasse... Mas naquele instante a vela se moveu, dando a volta devagar, se encheu devagar, o barco pareceu sacolejar e depois se mover, semiconsciente em seu sonho, e então acordou e disparou pelas ondas. O alívio foi extraordinário. Todos pareceram relaxar e se afastar uns dos outros de novo, e as linhas de pesca se retesaram, inclinando-se para além da lateral do barco. Mas o pai não se moveu. Ele simplesmente ergueu a mão direita no ar de um modo misterioso, e então a deixou cair no joelho de novo, como se estivesse conduzindo uma sinfonia secreta.

10

[O mar está sem mácula alguma, pensou Lily Briscoe, ainda parada e olhando pela baía. O oceano, estendido como seda pela baía. A distância tinha um poder extraordinário; eles tinham sido engolidos pela distância, ela sentia, tinham partido para sempre, se tornaram parte da natureza das coisas. Era tão calmo; era tão silencioso. O próprio barco a vapor desaparecera, mas o grande rolo de fumaça ainda pairava no ar e murchava como uma bandeira pesarosamente em despedida.]

11

Era assim então, a ilha, pensou Cam, mais uma vez passando os dedos pelas ondas. Ela nunca a havia visto do alto-mar antes. A ilha ficava assim no mar, com um recuo no meio de dois rochedos íngremes, e o oceano entrava ali e se espalhava por quilômetros de ambos os lados. Era uma ilha muito pequena, na forma de uma folha de ponta-cabeça. Então pegamos um bote, pensou ela, começando a contar para si mesma uma história de aventura sobre uma fuga de um navio naufragando. Mas com o mar correndo por entre seus dedos, um aglomerado de algas sumindo atrás deles, ela não queria se contar uma história a sério; o que ela queria era o sentimento de aventura e de fuga, pois ela estava pensando, enquanto o barco avançava, em como a fúria do pai com os pontos cardeais, a teimosia de James com o pacto e sua própria angústia, tudo aquilo tinha escorrido, tudo tinha passado, tudo tinha seguido corrente abaixo. O que então viria a seguir? Aonde eles iriam? De sua mão, gelada, imersa nas profundezas das águas, jorrava uma fonte de alegria causada pela mudança, pela evasão, pela aventura (por ela estar viva, por ela estar ali). E as gotas caindo dessa não planejada fonte de alegria veloz caíam aqui e ali no escuro, as lentas formas na sua mente; as formas de um mundo não percebido, mas que se revirava em sua escuridão, brilhando aqui e ali uma centelha de luz; Grécia, Roma, Constantinopla. Pequena como era, e no formato de folha de ponta-cabeça com as águas borrifadas de dourado fluindo nela e ao seu redor, aquela ilhota, supunha ela, tinha um lugar no universo – mesmo aquela ilhazinha? Ela imaginava que os velhos cavalheiros no escritório poderiam ter contado a ela. Às vezes, ela saía do jardim e entrava para pegá-los falando sobre essas coisas. Lá estavam eles (podia ser o sr. Carmichael ou o sr. Bankes, muito velhos, muito endurecidos), sentados frente a frente em suas poltronas baixas. Eles ficavam folheando o jornal *The Times*, quando ela entrava do jardim, toda enlameada, e falando sobre algo que alguém tinha dito de Cristo ou ouvindo que um mamute tinha sido desencavado numa rua de Londres, ou se perguntando como seria Napoleão. Então eles pegavam tudo isso com suas mãos limpas (aqueles homens usavam roupas cinza; tinham cheiro de urze) e guardavam os recortes juntos, virando o jornal, cruzando as pernas, e diziam algo muito breve de vez em quando. Só para se satisfazer, ela pegava um livro da estante e parava ali, observando o pai escrever com tanta regularidade, tanta elegância de um lado da folha e de outro, com uma tossezinha de vez em quando, algum comentário rápido em oposição ao que os outros velhos tinham dito. E ela pensava, parada ali com o livro aberto, que era possível deixar qualquer pensamento se expandir ali como uma folha na água; e se o pensamento lograsse ali, entre os velhos fumando e o *Times* crepitando, então era porque ele estava certo. E observando o pai escrever no escritório, ela pensava (já no barco), que ele não era vaidoso, não era um tirano e não queria que sentissem pena dele. De fato, se ele via que ela estava lá, lendo um livro, ele perguntava com a maior gentileza possível se havia algo que ele pudesse lhe dar.

Com medo de estar errada, ela olhou para ele lendo o livrinho com a capa brilhante salpicada como ovo de codorna. Não; estava certo. Olhe só para ele agora, ela quis dizer para James em voz alta. (Mas James estava com os olhos na vela.) Ele é um bruto sarcástico, diria James. Ele sempre transforma a conversa em algo sobre si mesmo e seus livros, diria James. Ele é intoleravelmente egocêntrico. O pior de tudo, ele é um tirano. Mas olhe só!, dizia ela, olhando para ele. Olhe só para ele agora. Ela olhava para ele lendo o livrinho com as pernas cruzadas; o livrinho cujas páginas amareladas ela conhecia, sem sequer saber o que estava escrito nelas. Era pequeno; a fonte era miúda; na folha de rosto, ela sabia, ele escrevera que gastou quinze francos no jantar; o vinho custou tanto; e ele deu tanto de gorjeta para o garçom; tudo estava somado de forma organizada no canto da página. Mas o que poderia estar escrito no livro, cujas extremidades se amassaram no bolso, ela não sabia. Nenhum deles sabia o que ele pensava. Mas ele estava absorto no livro, de forma que, quando ele erguia os olhos, como fez naquele exato instante, não era para enxergar qualquer coisa; era para marcar uma ideia com mais precisão. Feito isso, sua mente voava de volta e ele mergulhava na leitura. Ele lia, pensou ela, como se estivesse guiando algo, ou pastoreando um grande rebanho de carneiros, ou subindo por uma rota estreita; e às vezes ele ia rápido e reto, abrindo caminho por entre os espinheiros, e às vezes parecia que um galho lhe dava na cara, um espinheiro o cegava, mas ele não se deixaria abater por isso; ele ia em frente, virando página após página. E ela seguia contando para si mesma uma história de fuga de navios afundando, pois ela estava segura sentada ali; segura, como ela se sentia ao entrar às escondidas, vindo do jardim, e pegar um livro, e o velho cavalheiro, baixando o jornal de súbito, improvisava algo muito rápido sobre a personalidade de Napoleão.

    Ela voltou o olhar para o oceano, para a ilha. Mas a folha estava perdendo sua nitidez. A ilha era muito pequena; estava muito distante. O mar agora importava mais que o litoral. Ondas davam voltas ao redor deles, lançando-se e descendo, uma onda arrastava um toco de madeira; uma gaivota voava acima de outra. Perto dali, pensou ela, salpicando os dedos dentro da água, um navio havia afundado, e ela murmurou, semiadormecida sonhadoramente, como perecemos, cada um em solidão.

12

Há tanta coisa que depende então, pensou Lily Briscoe, olhando para o mar que quase não tinha manchas, que estava tranquilo a ponto de as velas e nuvens parecerem do mesmo tom de azul, tanta coisa depende, pensou ela, da distância: se as pessoas estão perto ou longe de nós; pois seus sentimentos pelo sr. Ramsay mudavam conforme ele velejava para mais longe atravessando a baía. Parecia que esse sentimento era alongado, estendido; ele parecia estar cada vez mais remoto. Ele e seus filhos pareciam ter sido engolidos por aquele azul, por aquela distância; mas ali, no jardim, bem perto, o sr. Carmichael gemeu de repente. Ela riu. Ele agarrou o livro na grama. Ele se acomodou na cadeira de novo, bufando e resfolegando como um monstro marinho. Nesse caso era completamente diferente, porque ele estava perto. E tudo ficou em silêncio de novo. Eles já deviam ter levantado a essa hora, ela imaginou, olhando para a casa, mas nada se passava ali. Mas ela se lembrou, eles sempre desapareciam logo após uma refeição, cada um com seus afazeres. Tudo estava de acordo com esse silêncio, esse vazio, e a irrealidade do início da manhã. Era como as coisas aconteciam às vezes, pensou ela, olhando por um instante a mais e vendo as longas janelas brilhantes e a pluma de fumaça azul: elas se tornavam doenças, antes de os hábitos se tecerem na superfície, sentia-se essa mesma irrealidade, que surpreendia tanto; sentia-se algo emergir. A vida era mais vívida nesses momentos. Você se sentia à vontade. Era um alívio não ter que dizer, toda alegre, ao atravessar o gramado para cumprimentar a velha sra. Beckwith, que estaria subindo para encontrar um cantinho para ficar sentada: "Ah, bom dia, sra. Beckwith! Que dia agradável! Vai arriscar se sentar aí no sol? Jasper escondeu as cadeiras. Espere que lhe busco uma!", e toda essa conversa fiada de costume. Não era preciso dizer nada. Deslizava-se, sacudiam-se as velas (havia um bom movimento na baía, barcos começando a partir) entre as coisas, além das coisas. Não havia escassez – tudo estava cheio até a borda. Ela se sentia dentro de uma substância, imersa até a altura dos lábios, movendo-se, flutuando e afundando nela, sim, pois essas águas eram incomensuravelmente profundas. Tantas vidas se derramaram nessas águas. Vidas dos Ramsay; dos filhos; párias e todo tipo de objeto perdido. Uma lavadeira com seu cesto; uma gralha; um atiçador vermelho de tão quente; os roxos e verdes acinzentados de flores – algum sentimento comum que mantinha a integridade.

 Talvez tenha sido um tamanho sentimento de integração que, dez anos antes, parada quase onde estava naquele momento, pode tê-la levado a dizer que ela estava apaixonada pelo lugar. O amor tinha milhares de formas. Poderia haver amantes cujo dom era escolher elementos das coisas e dos lugares e uni-los, dando-lhes assim uma integridade que eles não tinham em vida, montar uma cena, ou um encontro de pessoas (agora todas tinham partido, e estavam separadas), uma dessas coisas que compactam tudo num globo em que o pensamento se detém e com que o amor brinca.

 Os olhos dela repousaram na mancha marrom que era o barco do sr. Ramsay. Eles chegariam ao Farol na hora do almoço, supunha ela. Mas o vento tinha se renovado, e à medida que o céu mudava suavemente, os mares mudavam suavemente e os barcos alteravam suas posições, a vista, que um momento antes parecera miraculosamente constante, agora era insatisfatória. O vento havia espalhado a trilha de fumaça; havia algo desagradável no posicionamento dos navios. A desproporção ali parecia perturbar uma harmonia própria da mente dela. Lily sentia um desconforto obscuro. Aquilo se confirmou quando ela voltou ao quadro. Ela estivera desperdiçando a manhã. Por um motivo qualquer, ela não conseguia atingir o equilíbrio fino como lâmina entre duas forças opostas; o sr. Ramsay e o quadro; e isso era necessário. Havia algo de errado com o desenho? Ela se perguntava, será que a linha da parede precisava ser suavizada, ou a massa das árvores estava pesando demais? Ela sorriu com ironia; afinal, ao começar, ela não havia pensado que tinha resolvido o problema?

Qual era o problema então? Ela precisava tentar agarrar algo que lhe escapava. Aquilo lhe escapava quando ela pensava na sra. Ramsay; escapava-lhe agora quando ela pensava em seu quadro. Frases vinham. Visões vinham. Lindas imagens. Lindas frases. Mas o que ela desejava agarrar era aquele agitar dos nervos, a própria coisa antes que se tornasse algo concreto. Agarrar aquilo e começar do zero; agarrar aquilo e começar do zero; ela dizia com desespero, colocando-se firmemente na frente do cavalete. Era um maquinário miserável, um maquinário ineficiente, pensou ela, o aparato humano para pintar ou para sentir; sempre falhava no momento crítico; heroicamente, é preciso seguir. Ela encarava, franzindo a testa. Lá estava a sebe, sem dúvida. Mas não se ganhava nada ao importuná-la com urgência. Você só ficava com um brilho no olho ao encarar a linha da parede, ou ao pensar: ela usava um chapéu cinza. Ela era de uma beleza assombrosa. Que venha, pensou ela, se for para vir. Pois há momentos em que não se pode pensar ou sentir. E se uma pessoa não consegue nem pensar nem sentir, onde ela está?

Ali no gramado, sobre o chão, pensou ela, sentando e examinando um matinho com o pincel. Pois o jardim estava bastante malcuidado. Ali, sentada no mundo, pensou ela, pois não conseguia se libertar da sensação de que tudo naquela manhã estava acontecendo pela primeira vez, talvez pela última – como um viajante sabe que tem que olhar pela janela naquele momento, por mais que se sinta sonolento, pois nunca mais verá aquela cidade de novo, nem aquela carroça ou aquela camponesa trabalhando. O gramado era o mundo; eles estavam reunidos ali juntos, nesse estado exaltado, pensou ela, olhando para o velho sr. Carmichael, que parecia concordar com suas ideias (apesar de não ter dito nada dessa vez). E ela nunca mais o veria, talvez. Ele estava envelhecendo. Além disso, ela se lembrou, sorrindo para o chinelo balançando no pé dele, ele estava ficando famoso. As pessoas diziam que sua poesia era "tão bonita". Publicavam coisas que ele escrevera quarenta anos antes. Havia um homem famoso agora chamado Carmichael, ela sorriu, pensando em quantas formas uma pessoa pode assumir, como ele era de tal jeito nos jornais, mas ali era o mesmo que sempre fora. Tinha a mesma aparência – estava mais grisalho, aliás. Sim, ele estava com a mesma aparência, mas alguém tinha dito, ela se lembrava, que, quando soube da morte de Andrew Ramsay (ele morreu instantaneamente numa explosão de granada; poderia ter sido um excelente matemático), o sr. Carmichael havia "perdido todo o interesse pela vida". O que aquilo queria dizer?, perguntou-se ela. Será que ele marchara na Trafalgar Square com um grande pedaço de pau? Será que tinha folheado páginas de novo e de novo, sem ler, sentado sozinho em sua sala em St. John's Wood? Ela não sabia o que ele havia feito quando soube que Andrew morreu, mas ela ainda sentia aquilo nele mesmo assim. Os dois apenas murmuravam um para o outro nas escadas; apenas olhavam para o céu e diziam se ia chover ou não. Mas essa era uma maneira de conhecer as pessoas, pensou ela: conhecer o contorno, mas não as minúcias, ficar sentada no seu jardim e olhar as curvas de uma montanha que a bruma distante vai tornando púrpura. Lily o conhecia assim. Sabia que ele mudara de alguma forma. Ela nunca lera um verso de sua poesia. Mas achava que sabia como ela se desenvolvia, lenta e sonoramente. Era comedida e madura. Falava sobre o deserto e o camelo. Falava sobre a palmeira e o pôr do sol. Era extremamente impessoal; falava algo sobre a morte; falava muito pouco sobre o amor. Havia uma impessoalidade nele. Ele queria muito pouco dos outros. Não era verdade que ele sempre cambaleava de um jeito bastante desajeitado, passando pela janela da sala de estar, um jornal debaixo do braço, tentando evitar a sra. Ramsay, da qual, por algum motivo, ele não gostava muito? Por isso, é claro, ela sempre tentava segurá-lo. Ele fazia uma reverência para ela. Parava de má vontade e fazia uma profunda reverência. Irritada por ele não querer nada dela, a sra. Ramsay lhe oferecia (Lily conseguia ouvi-la) um casaco, um tapete, um jornal. Não, ele não precisava de nada. (Aqui ele fazia a reverência.) Ela tinha alguma característica de que ele não gostava muito. Talvez fosse seu autoritarismo, seu otimismo, algo prosaico nela. Ela era tão direta.

(Um ruído chamou a atenção dela para a janela da sala – o rangido de uma dobradiça. A brisa leve brincava com a janela.)

Devia ter gente que não gostava nada da sra. Ramsay, pensou Lily (Sim; ela tinha noção de que o degrau da sala de visitas estava vazio, mas aquilo não teve efeito algum nela. Ela não queria a sra. Ramsay naquele momento.), gente que a achava segura demais, drástica demais.

Além disso, era provável que a beleza dela ofendesse os outros. Que monótona, diriam, e sempre a mesma! Esses prefeririam outro tipo – a mulher mais sombria, a mulher mais ativa. E ela era frouxa com o marido. Deixava que ele fizesse aquelas cenas. E ela era reservada. Ninguém sabia exatamente o que se passava com ela. E (para voltar ao sr. Carmichael e à cisma dele) era impossível imaginar a sra. Ramsay deitada lendo ou em pé pintando, por uma manhã inteira no jardim. Era inimaginável. Sem dizer uma palavra, o único sinal de que ela estava cumprindo uma tarefa era a cesta pendurada no braço, ela ia para a cidade, visitar os pobres, sentando em algum quartinho abafado. Com frequência cada vez maior, Lily notava que ela saía em silêncio no meio de algum jogo, de alguma conversa, com a cesta debaixo do braço, a postura muito correta. Ela notava seu retorno. Ela pensava, meio rindo (ela era tão metódica com xícaras de chá), meio comovida (sua beleza tirava o fôlego), olhos que estão se fechando de dor olharam para você. Você esteve lá com eles.

E então a sra. Ramsay se irritaria com o atraso de alguém, o ranço da manteiga, a rachadura na chaleira. E o tempo inteiro em que reclamava que a manteiga não estava fresca, o ouvinte pensava em templos gregos, e em como a beleza estivera com eles ali naquele quartinho abafado. Ela nunca falava que ia visitar alguém – ela simplesmente ia, direta e pontual. Ia por instinto, um instinto como o que leva as andorinhas para o Sul, que atrai as alcachofras para o sol, dedicando sua infalibilidade à espécie humana, criando um ninho para ela em seu coração. E como todo instinto, era um pouco incômodo para pessoas que não compartilhavam dele; para o sr. Carmichael talvez, para Lily, com certeza. Ambos tinham uma noção da ineficácia daquela atitude, da supremacia do pensamento. A partida dela era uma censura aos dois, era algo que mudava o ângulo do mundo, de forma que eles eram levados a protestar, vendo todos os seus preconceitos desaparecerem, e a se agarrar a eles enquanto evaporavam. Charles Tansley fazia isso também: era parte do motivo pelo qual as pessoas sentiam antipatia por ele. Ele perturbava as proporções do mundo das pessoas. E o que havia acontecido com ele, perguntou-se ela, distraída, mexendo nas folhagens com o pincel. Conseguira sua bolsa de estudos. Casara-se; vivia em Golder's Green.

Ela tinha ido uma vez a um salão e o ouviu falar, durante a guerra. Ele estava denunciando algo: condenando alguém. Pregava amor fraterno. E tudo que ela sentia era como ele poderia amar seus iguais sem conseguir perceber a diferença entre um quadro e outro, parando atrás dela fumando ("e ainda são caros, srta. Briscoe") e tomando para si a questão de lhe dizer que mulheres não sabem escrever, que mulheres não sabem pintar, e nem tanto por acreditar nisso, mas sim porque ele por algum motivo estranho desejava que aquilo fosse verdade. Lá estava ele, magro, vermelho e rouco, pregando o amor de cima de um tablado (havia formigas se agitando por entre os tufos que ela perturbara com o pincel – formigas vermelhas, ativas, brilhantes, assim como Charles Tansley). Ela o observara com ironia de onde estava sentada no salão parcialmente cheio, bombeando amor para dentro daquele espaço frio e, de súbito, viu o velho tonel ou o que quer que fosse oscilando para cima e para baixo entre as ondas e a sra. Ramsay em busca do estojo dos óculos em meio às pedras. "Ah, céus! Que incômodo! Perdi de novo. Não se incomode, sr. Tansley. Eu perco milhares de óculos todo verão", o que o levou a pressionar o queixo no colarinho, como se tivesse medo de endossar tamanho exagero; mas ele conseguia tolerar aquilo na sra. Ramsay por gostar dela, e ele lhe deu um sorriso encantador. Ele devia ter confidenciado a ela numa dessas expedições longas em que as pessoas se separavam e voltavam sozinhas. Ele estava custeando a educação da irmã mais nova, a sra. Ramsay contou para ela. Era algo que contava imensamente a favor dele. A ideia que ela própria tinha dele era grotesca, Lily sabia bem, remexendo as folhagens com o pincel. Afinal de contas, metade das ideias que alguém tem sobre os outros é grotesca. Servia a propósitos privados, de cada um. Ele fazia para ela as vezes de bode expiatório. Ela se pegava descontando nele quando estava de mau humor, chicoteando seus flancos magros. Se quisesse ser honesta a respeito dele, ela tinha que se servir dos ditos da sra. Ramsay, usar os olhos dela para observá-lo.

    Lily criou um montículo para que as formigas escalassem. Ela as reduziu a um frenesi de indecisão ao interferir em sua cosmogonia. Umas corriam para lá, outras para cá.

    Desejaria cinquenta pares de olhos para ver tudo, refletiu ela. Cinquenta pares de olhos não bastavam para ver aquela mulher por inteiro, pensou. Em meio a todos eles, talvez houvesse pelo menos um que fosse cego à sua beleza. O que mais se desejaria era um sentido secreto, tênue como o ar, capaz de penetrar buracos de fechadura e de a cercar enquanto ela tricotava, falava, permanecia sentada em silêncio à beira da janela; algo que capturasse e guardasse da mesma maneira como o ar guarda a fumaça do barco a vapor, os pensamentos, as imaginações, os desejos dela. O que a sebe significava para ela? O que o jardim significava para ela? O que significava para ela quando uma onda quebrava? (Lily ergueu os olhos, do mesmo modo como tinha visto a sra. Ramsay olhar para cima; ela também ouviu uma onda quebrar na praia.) E então o que agitou e estremeceu em sua mente quando as crianças gritaram: "E agora? E agora?", no jogo de críquete? Ela pararia de tricotar por um instante. Pareceria se concentrar. Em seguida, pareceria devanear de novo, e do nada o sr. Ramsay pararia de caminhar ao chegar na frente dela, e algum choque curioso atravessaria seu corpo, parecendo causar uma agitação profunda no peito dela quando ele parava ali e baixava os olhos na direção dela. Lily conseguia vê-lo.

Ele estendeu a mão e a levantou da cadeira. Parecia, de alguma forma, que ele já tinha feito isso antes; como se em algum outro momento ele já tivesse se abaixado e a erguido de um barco que, estando a certa distância de uma ilha, requeria que os cavalheiros ajudassem as damas a descer. Era uma cena antiquada aquela, que quase exigia roupas de época. Ao permitir que ele a ajudasse, a sra. Ramsay pensou (Lily supunha) que o momento havia chegado. Sim, ela ia dizer naquele momento. Sim, ela se casaria com ele. E ela desceu devagar, em silêncio, na praia. Provavelmente ela tenha dito uma palavra só, deixando que sua mão descansasse imóvel na dele. Eu me casarei com você, ela poderia ter dito, com sua mão na dele; mas não mais. Várias vezes aquela emoção deve ter surgido entre eles – óbvio que sim, pensou Lily, alisando um caminho para suas formigas. Ela não estava forjando; apenas tentava alisar algo que tinha sido vincado anos antes; algo que vira. Pois na dificuldade e na desordem do dia a dia, com todas aquelas crianças correndo, todos aqueles visitantes, havia um senso constante de repetição – de algo caindo no mesmo lugar onde algo já caíra, criando um eco que badalava pelo ar e o enchia de vibração.

Mas seria um erro, pensou ela, analisando enquanto eles se afastavam caminhando, de braços dados, indo além da estufa, simplificar a relação dos dois. Não era uma monotonia de alegria – ela com seus impulsos e agilidade; ele com seus tremores e angústia. Ah, não. A porta do quarto batia com violência de manhã cedinho. Ele levantava da mesa de mau humor. Ele jogava o prato pela janela. E na casa toda havia uma sensação de portas batendo e cortinas se agitando, como se um vento tempestuoso soprasse e as pessoas disparassem às pressas tentando trancar postigos e deixar tudo em ordem. Um dia, ela encontrou Paul Rayley nas escadas assim. Eles riram e riram, como duas crianças, tudo porque o sr. Ramsay, encontrando um inseto em seu leite do café da manhã, arremessou a jarra inteira pelos ares, para o terraço. "Um inseto", murmurou Prue, pasma, "no leite". Outras pessoas poderiam encontrar centopeias. Mas ele tinha criado uma aura tão grande de santidade em torno de si, e ocupava o espaço com tal porte majestoso, que um verme no seu leite era um monstro.

Mas isso cansava a sra. Ramsay, intimidava-a um pouco – os pratos arremessados e as portas batendo. E às vezes, haveria ali entre eles longos silêncios rígidos, quando, num estado de espírito que deixava Lily irritada consigo mesma, meio queixosa, meio ressentida, ela parecia incapaz de passar pela tempestade com calma, ou de rir como os outros riam, mas talvez em sua preocupação escondendo algo. Ela se sentava em silêncio e cismava. Depois de um tempo, ele apareceria de forma furtiva nos lugares onde ela estava – rondando sob a janela onde ela se sentava para escrever cartas ou conversar, pois ela se certificaria de estar ocupada quando ele passasse, e o evitaria e fingiria não o ver. Então ele ficaria macio como seda, afável, civilizado, e tentaria conquistá-la assim. Ainda assim, ela se conteria, e por um breve período ela emprestaria a certos orgulhos e vaidades o peso de sua beleza, da qual geralmente ela se despia completamente; ela viraria a cabeça; olharia por cima do ombro, sempre acompanhada por Minta, Paul ou William Bankes. Depois de um tempo, ainda excluído do grupo, como um cão de caça faminto (Lily se levantou da grama e parou olhando os degraus, a janela, onde o havia visto), ele diria o nome dela, apenas uma vez, exatamente como um lobo uivando na neve, mas ainda assim ela se conteria; e ele o repetiria, e desta vez algo em seu tom a despertaria, e ela iria até ele, deixando-os todos de súbito, e eles partiriam juntos por entre as pereiras, os repolhos e os canteiros de framboesas. Eles resolveriam aquilo juntos. Mas com quais ações e com que palavras? A dignidade deles no relacionamento era tamanha que, ao dar as costas, ela, Paul e Minta esconderiam a curiosidade e o desconforto e começariam a colher flores, jogar bola, tagarelar até chegar a hora do jantar, e ali estariam os dois – ele em um extremo da mesa, ela no outro, como de costume.

"Por que um de vocês não estuda botânica? Com essas pernas e braços, por que um de vocês não...?" Eles falariam assim como de costume, rindo, em meio aos filhos. Tudo seria como de costume, exceto por algum estremecimento, como uma lâmina no ar, que passava entre eles, indo e vindo, como se a imagem habitual dos filhos ao redor de seus pratos, jantando, tivesse se reanimado em seus olhos depois daquele momento entre as peras e repolhos. Em especial, pensou Lily, a sra. Ramsay espiaria Prue – sentada entre os irmãos, parecendo sempre preocupada, certificando-se de que nada desse errado, de forma que ela mesma mal falava. Como Prue deve ter se culpado por aquele inseto no leite! Como deve ter empalidecido quando o sr. Ramsay jogou a jarra pela janela! Como ela desmoronava sob aqueles silêncios longos entre eles! De qualquer forma, sua mãe parecia estar compensando a filha; garantindo a ela que tudo estava bem; prometendo que aquela mesma felicidade seria dela qualquer dia desses. No entanto, ela a desfrutara por menos de um ano.

Ela deixara as flores caírem do cesto, pensou Lily, apertando os olhos e dando um passo para trás como se quisesse olhar o quadro, que ela não tocava, no entanto, já que todas as suas faculdades mentais estavam em transe, congeladas superficialmente, mas se movendo com velocidade extrema abaixo.

Ela deixara as flores caírem do cesto, e as flores se espalharam no gramado, e com relutância e hesitação, mas sem questionar ou reclamar – ela tinha a habilidade da obediência num grau que chegava à perfeição – também partiu. Pelos campos, atravessando vales brancos e cobertos de flores – era assim que ela teria pintado. As montanhas eram austeras. Era pedregoso; era íngreme. As ondas soavam roucas nas pedras abaixo. Eles foram, os três foram juntos, a sra. Ramsay caminhando depressa na frente, como se esperasse encontrar alguém virando a esquina.

De súbito, a janela que ela olhava brilhou clara com algo iluminado por trás. Então, enfim, alguém havia ido à sala de estar; alguém se sentava na cadeira. Pelos céus, ela orou, que fiquem quietos ali e não venham chafurdar o gramado e falar com ela. Ainda bem, quem quer que fosse tinha ficado imóvel lá dentro; acomodou-se por sorte, de uma forma que lançava uma estranha sombra triangular no degrau. Alterava um pouco a composição do quadro. Era interessante. Poderia ser útil. O vigor começava a voltar. Era preciso seguir olhando sem relaxar a intensidade da emoção nem por um segundo sequer, sem deixar escapar a determinação, para não ser enganado. Era preciso sustentar a cena na mente – *assim* – como num torno, para que nada entrasse e estragasse. O que você quer – pensou ela, mergulhando o pincel deliberadamente – é estar no mesmo patamar da experiência comum, sentir apenas que isto é uma cadeira, aquilo é uma mesa, e ainda, ao mesmo tempo, é um milagre, é um êxtase. O problema poderia ter sido resolvido afinal de contas. Ah, mas o que aconteceu? Alguma onda de branco cobrira a vidraça. O vento deve ter agitado algum babado na cortina. Seu coração saltou no peito e a agarrou e torturou.

– Sra. Ramsay! Sra. Ramsay! – soluçou ela, sentindo o horror antigo voltar; desejar e desejar e não ter. Ela ainda poderia causar esse sentimento? E então, em silêncio, parecia que ela se segurava, aquilo também se tornou parte da experiência comum, estava no patamar da cadeira, da mesa. Sra. Ramsay – era parte de sua bondade perfeita – estava simplesmente sentada ali de forma comum, na cadeira, agitando as agulhas de um lado para o outro, tricotando suas meias castanho-avermelhadas, lançando a sombra no degrau. Estava sentada ali.

    E como se tivesse algo urgente a compartilhar, e no entanto mal conseguindo se afastar do cavalete, tal ponto sua mente estava cheia do que ela pensava, do que via, Lily passou pelo sr. Carmichael segurando o pincel até a beira do gramado. Onde estava o barco àquela altura? E o sr. Ramsay? Ela o queria.

13

O sr. Ramsay tinha quase terminado de ler. Uma mão pairava sobre a página, como se estivesse de prontidão para virá-la assim que ele a terminasse. Ele permanecia sentado ali, a cabeça descoberta, o vento soprando-lhe os cabelos para todos os lados, extraordinariamente exposto a tudo. Ele parecia muito velho. Ele lembrava, pensou James, olhando a cabeça do pai contra o Farol, e depois contra a abundância de águas correndo mar adentro, uma pedra velha jogada na areia; parecia que ele agora se tornara fisicamente aquilo que sempre estivera no fundo de suas mentes – aquela solidão que era para os dois a verdade de todas as coisas.

Ele lia muito rápido, como se estivesse ansioso por chegar ao final. De fato, eles estavam muito perto do Farol agora. Lá ele se assomava, inflexível e reto, resplandecente em branco e preto, e era possível ver as ondas quebrando em cacos brancos como vidro destroçado nas pedras. Viam-se as linhas e ranhuras nos rochedos. Viam-se as janelas com clareza; um toque de branco em uma delas, e um tufo verde na pedra. Um homem saiu e os olhou de binóculo e entrou de novo. Então assim que era, James pensou, o Farol que se via do outro lado da baía por todos aqueles anos; uma torre rígida em pedra nua. Isso o satisfez. Confirmava algum sentimento obscuro sobre seu próprio caráter. As senhoras idosas, pensou ele, imaginando o jardim em casa, deviam estar arrastando suas cadeiras no gramado. A velha sra. Beckwith, por exemplo, sempre falava como isso era bom, e aquilo tão belo, e como eles deviam ter tanto orgulho disso, e deviam ficar tão contentes com aquilo, mas, na realidade, pensou James, olhando para o Farol em pé ali em sua pedra, é assim que é. Ele olhou para o pai lendo com ferocidade, as pernas cruzadas com força. Eles compartilhavam aquela sabedoria. "Estamos no meio de um vendaval, devemos afundar", ele começou a murmurar para si mesmo, em voz baixa, exatamente como o pai diria.

Parecia que ninguém havia dito nada por uma eternidade. Cam se cansara de olhar para a água. Pedacinhos de cortiça preta passaram flutuando; os peixes estavam mortos no assoalho do barco. Ainda assim, o pai lia, e James olhava para o pai e ela olhava para ele, e os dois juravam que lutariam contra a tirania até a morte, e ele seguia lendo, ignorando o que os filhos pensavam. Era assim que ele escapava, pensou ela. Sim, com sua testa gigante e nariz gigante, agarrando com firmeza o livrinho manchado à sua frente, ele escapava. Você podia tentar pôr as mãos nele, mas, como um pássaro, ele abria as asas e voava para se empoleirar fora de seu alcance, em algum lugar muito longe, num toco desolado. Ela contemplou a imensidão que era o mar. A ilha agora tinha ficado tão pequena que mal parecia manter o formato de folha. Ela parecia o topo de um rochedo que alguma onda maior do que as outras poderia cobrir. Ainda assim, naquele lugar frágil, havia todos aqueles caminhos, aqueles terraços, aqueles espaços – todas aquelas coisas inumeráveis. Mas da mesma forma que logo antes de pegar no sono as coisas se simplificam de modo que apenas um detalhe, dentre uma miríade de aspectos, consegue se sobressair, ela sentia, olhando para a ilha com sonolência, que todos aqueles caminhos, terraços e espaços evanesciam e desapareciam, e não restava nada além de um incensário azul-claro se movendo ritmicamente de um lado para o outro atravessando sua mente. Era um jardim suspenso; era um vale, cheio de pássaros, flores e antílopes... Ela estava caindo no sono.

– Vamos lá – disse o sr. Ramsay, fechando o livro de súbito. Vamos aonde? Rumo a qual aventura extraordinária? Ela acordou num sobressalto. Aportar em algum lugar, escalar algum lugar? Aonde ele os estava levando? Pois, depois de seu silêncio imenso, as palavras sobressaltaram os dois. Mas era absurdo. Ele disse que estava com fome. Era hora do almoço. Além disso.

– Olhem – disse ele –, ali está o Farol. Estamos quase chegando.

– Ele está se saindo muito bem – disse Macalister, elogiando James. – Está com a vela muito firme.

Mas o pai nunca o elogiara, James pensou com amargor.

O sr. Ramsay abriu o embrulho e distribuiu os sanduíches entre eles. Agora ele estava feliz, comendo pão e queijo com aqueles pescadores. Ele teria gostado de morar em um chalé e de passar tempo no porto, cuspindo com os outros velhos, pensou James, observando-o fatiar o queijo em amarelas camadas finas com o canivete.

Está certo, é isso, Cam sentia, enquanto descascava seu ovo cozido. Agora ela se sentia da mesma forma que quando entrava no escritório enquanto os velhos liam o *Times*. Agora posso seguir em frente pensando o que quiser, e não vou me jogar de um precipício ou me afogar, pois lá está ele, mantendo os olhos em mim, pensou ela.

Ao mesmo tempo, eles velejavam tão rápido perto das pedras que era muito empolgante – parecia que estavam fazendo duas coisas ao mesmo tempo: almoçando ali no sol, e também procurando segurança numa grande tempestade depois de um naufrágio. Será que a água ia durar? As provisões iam durar?, perguntava-se ela, contando uma história para si mesma, mas sabendo ao mesmo tempo qual era a verdade.

Eles dois logo não estariam mais ali, o sr. Ramsay dizia para o velho Macalister; mas os filhos veriam ainda coisas estranhas. Macalister disse que tinha completado setenta e cinco em março; o sr. Ramsay tinha setenta e um. Macalister disse que nunca tinha consultado um médico; nunca havia perdido um dente. "E é assim que eu gostaria que meus filhos vivessem." Cam tinha certeza de que seu pai pensava assim, pois ele a impediu de jogar um sanduíche na água, dizendo, como se estivesse pensando em marinheiros e em seu modo de viver, que, se ela estava sem fome, devia colocar no pacote de volta. Não devia desperdiçar. Ele disse com tanta sabedoria, como se soubesse tão bem todas as coisas que tinham acontecido no mundo, que ela o devolveu de imediato, e então ele lhe deu um pedaço de pão de gengibre de seu próprio embrulho, como se ele fosse um grande cavalheiro espanhol, pensou ela, presenteando com uma flor a sua dama debaixo da janela (tão corteses eram seus modos). Ele estava tão maltrapilho e simples, comendo pão e queijo; e ainda assim ele os liderava numa grande expedição na qual, até onde ela sabia, todos se afogariam.

– Foi ali que afundou – disse o menino do Macalister do nada.

Três homens se afogaram onde estamos agora, o velho disse. Ele mesmo viu os três agarrados ao mastro. E o sr. Ramsay varrendo o local com os olhos, estava prestes, receavam James e Cam, a irromper:

Mas eu, embaixo dos mares mais furibundos

E se ele fizesse isso, eles não iam aguentar; iam berrar; não aguentariam outra explosão da paixão que fervia nele; mas, para a surpresa de ambos, tudo que ele disse foi: "Ah", como se pensasse em voz alta. Mas por que criar um alvoroço por causa daquilo? É natural, homens se afogam na tempestade; mas é uma questão perfeitamente objetiva, e o fundo do mar (ele jogou os farelos do pacote de sanduíche sobre ele) é apenas água, no final das contas. Então, após acender o cachimbo, ele sacou o relógio. Olhou para ele com atenção; talvez fizesse algum cálculo. Enfim, disse, triunfante:

– Muito bem! – James os guiara como um marinheiro nato.

"Pronto!", pensou Cam, dirigindo-se a James em silêncio. Você conseguiu, finalmente. Pois ela sabia que era isso o que James mais desejava, e sabia que agora que tinha conseguido, ele estaria tão satisfeito que não olharia nem para ela, nem para o pai, nem para ninguém. Ele ficou ali sentado com a mão na cana do leme, com postura empertigada, olhando bastante amuado e franzindo a testa de leve. Estava tão satisfeito que não deixaria ninguém compartilhar um grão de seu prazer. O pai o elogiara. Eles deviam pensar que ele estava perfeitamente indiferente. Mas você conseguiu agora, pensou Cam. Eles haviam mudado o curso e velejavam rápido, flutuando por cima de longas ondas bamboleantes que os levavam de um ponto a outro da costa com melodia e alegria extraordinárias. À esquerda, uma fileira de pedregulhos aparecia, marrom, através da água que se afinava e ficava mais verde, enquanto uma onda quebrava incessantemente numa pedra mais alta, jorrando uma coluna de gotas que caíam num chuvisco. Podia-se ouvir o baque da água e o tamborilar de gotículas, e uma espécie de som sussurrante e sibilante das ondas, que rolavam, davam cambalhotas e batiam nas rochas como se fossem criaturas selvagens perfeitamente livres que se lançavam, se contorciam e se divertiam dessa forma para sempre.

Agora eles conseguiam ver dois homens no Farol, observando-os e se preparando para recebê-los.

O sr. Ramsay abotoou o casaco e ajeitou as calças. Pegou o grande pacote de papel pardo marrom mal embrulhado que Nancy preparara e o pousou sobre os joelhos. Dessa forma, em posição perfeita para atracar, ficou sentado encarando a ilha. Com seus olhos sagazes, talvez ele conseguisse ver com clareza o formato minguado de folha pousada na ponta de uma travessa. O que ele conseguia ver? Cam se perguntava. Tudo era um borrão para ela. No que ele pensava agora? Ela se perguntava. O que ele buscava, tão fixa, intensa e silenciosamente? Eles o observavam, ambos, sentado de cabeça descoberta com o embrulho no colo encarando e encarando o frágil formato azul que parecia ser o vapor de algo que queimara até o fim. O que você quer? Os dois queriam perguntar. Ambos queriam dizer *peça qualquer coisa e nós daremos*. Mas ele não pediu nada. Ficou sentado, olhando para a ilha, e ele poderia estar pensando, "Perecemos, cada um em solidão", ou poderia estar pensando, "Cheguei. Encontrei"; mas ele não disse nada.

Então ele colocou o chapéu.

– Tragam os pacotes – disse ele, apontando a cabeça para as coisas que Nancy preparara para levar ao Farol. – Os pacotes para os faroleiros – disse ele. Ele se levantou e ficou na proa do barco, muito empertigado e alto, exatamente, pensou James, como se dissesse: "Deus não existe", e Cam pensou, como se ele estivesse saltando no espaço, e os dois se ergueram para segui--lo ao saltar na pedra, ligeiro como um rapaz, segurando seu embrulho.

14

— Ele já deve ter chegado – disse Lily Briscoe em voz alta, sentindo-se subitamente exausta. Pois o Farol se tornara quase invisível, dissipara-se dentro de uma névoa azul, e o esforço de olhar para aquilo e de pensar nele aportando ali, dois esforços que pareciam um só, de igual dificuldade, exauriam até o limite sua mente e seu corpo. Ah, mas ela estava aliviada. Independentemente do que ela quis dar a ele pela manhã, quando o viu passar, ela enfim havia dado.

— Ele atracou – disse ela em voz alta – Acabou. – Então, levantando, resfolegando de leve, o velho sr. Carmichael se pôs de pé ao lado dela, parecendo um deus pagão antigo: desgrenhado, com folhas no cabelo, e nas mãos um tridente (era apenas um romance francês). Ele parou ao lado dela na beira do gramado, o seu volume inteiro oscilando um pouco, usando a mão para proteger os olhos do sol: – Eles já devem ter atracado. – E ela sentiu que estava certa. Eles não precisaram falar. Tinham pensado a mesma coisa e ele a respondera sem que ela perguntasse nada. Ele ficou ali como se estendesse as mãos ao redor de toda a fragilidade e todo o sofrimento da humanidade; ela achava que ele estava avaliando, com tolerância e compaixão, seu destino final. Agora ele coroava a ocasião, pensou ela, enquanto sua mão descia devagar, como se houvesse deixado cair de sua portentosa altura uma coroa de violetas e asfódelos que, após uma descida trêmula e lenta, enfim caía sobre o chão.

Rapidamente, como se convocada por algo ali, ela se voltou para a tela. Lá estava – seu quadro. Sim, com todos os seus verdes e azuis, as linhas subindo e descendo, sua tentativa de algo. Seria pendurado no sótão, pensou ela: seria destruído. Mas de que importa, perguntou-se ela, pegando o pincel de novo. Ela olhou para os degraus; estavam vazios; ela olhou para a tela; estava borrada. Com uma intensidade súbita, como se visse com clareza por um instante, ela traçou uma linha ali, no centro. Estava feita; terminada. Sim, pensou ela, baixando o pincel em exaustão extrema, eu tive minha visão.

Compartilhando propósitos e conectando pessoas
Visite nosso site e fique por dentro dos nossos lançamentos:
www.novoseculo.com.br

facebook/novoseculoeditora
@novoseculoeditora
@NovoSeculo
novo século editora

gruponovoseculo.com.br

Edição: 2
Fonte: IBM Plex Serif